Mi Primer
DICCIONARIO
EVEREST

Mi Primer
DICCIONARIO
EVEREST

EDITORIAL EVEREST, S. A.

Madrid • León • Barcelona • Sevilla • Granada • Valencia
Zaragoza • Las Palmas de Gran Canaria • La Coruña
Palma de Mallorca • Alicante • México • Lisboa

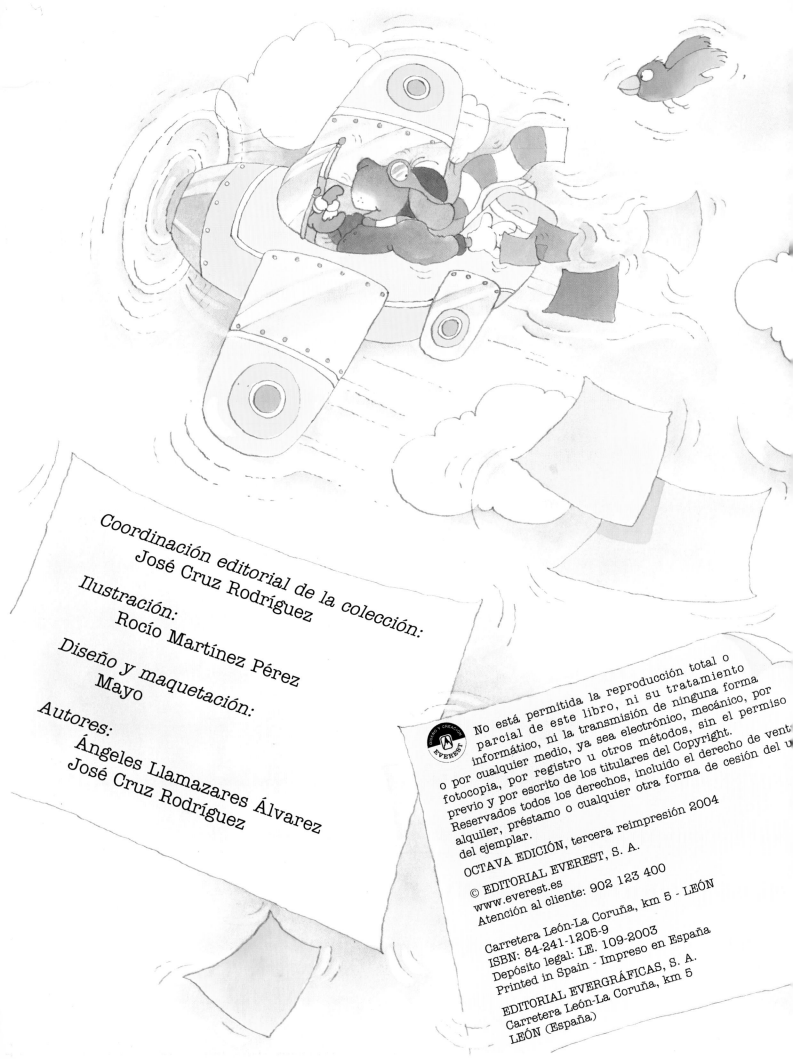

Coordinación editorial de la colección:
José Cruz Rodríguez
Ilustración:
Rocío Martínez Pérez
Diseño y maquetación:
Mayo
Autores:
Ángeles Llamazares Álvarez
José Cruz Rodríguez

OCTAVA EDICIÓN, tercera reimpresión 2004

© EDITORIAL EVEREST, S. A.
www.everest.es
Atención al cliente: 902 123 400

Carretera León-La Coruña, km 5 - LEÓN
ISBN: 84-241-1205-9
Depósito legal: LE. 109-2003
Printed in Spain - Impreso en España

EDITORIAL EVERGRÁFICAS, S. A.
Carretera León-La Coruña, km 5
LEÓN (España)

MI PRIMER DICCIONARIO EVEREST es algo más que un libro de palabras ordenadas alfabéticamente. A lo largo de sus 160 páginas se puede encontrar un completo trabajo, especialmente diseñado para familiarizar a los jóvenes lectores, en el manejo de un diccionario. Las nuevas tendencias educativas proponen el uso del diccionario desde los primeros años de la enseñanza, incluso cuando los niños y niñas todavía están aprendiendo sus primeras nociones de lectura.

En *MI PRIMER DICCIONARIO EVEREST* se recogen las palabras más conocidas y usadas por los niños y niñas entre los 6 y 8 años. Cada palabra va acompañada de su categoría gramatical, una explicación de su significado y un ejemplo de su uso cuando proceda, para aclarar su significado dentro de un contexto próximo al entorno infantil. Aproximadamente se explica el significado de 1100 palabras.

Las **definiciones** además de ajustarse lo más posible a la realidad, se aproximan en muchas ocasiones a las utilizadas en el lenguaje infantil. De esta forma, se ha procurado comenzar la definición tal y como si de una respuesta se tratara, para así ayudar a los niños y niñas en su comprensión y al adulto en su explicación. Por otra parte, los ejemplos proporcionados responden, siempre que ha sido posible, a su entorno vital, para de esa forma hacerle participar al máximo de su lectura.

Las **ilustraciones** han sido especialmente creadas para este libro, y generalmente se usan para aclarar el significado de ideas o acciones, en lugar de describir objetos, más fácilmente reconocibles por sí mismos. Esto hace que los jóvenes lectores entiendan con mayor facilidad su significado, y que los adultos lo puedan explicar con menor dificultad.

MI PRIMER DICCIONARIO EVEREST se convierte así en un instrumento plenamente adaptado a la edad a la que va dirigido, con una importante aplicación pedagógica en el aula. Su propósito no es otro que ayudarles a adquirir un vocabulario básico que les permita desenvolverse en la calle o en la escuela. Nuestro deseo no es otro en suma, que el niño o la niña que lea o al que regale este diccionario disfrute con su lectura.

Abajo - *adverbio*

Señala un lugar más bajo que otro.
Luis está arriba, Ana le espera *abajo*.

Abanico - *sustantivo*

El abanico es un objeto que sirve para darse aire.

Abecedario - *sustantivo*

Se llama abecedario al conjunto de todas las
letras de un idioma, colocadas por orden.
El *abecedario* del español acaba en la
letra Z.

Abeja - *sustantivo*

La abeja es un insecto que fabrica miel y cera,
y vive en colmenas.

Abeto - *sustantivo*

Es un árbol muy alto que está siempre verde. El árbol de
Navidad es un *abeto*.

A

ABRAZAR

Abrazar - *verbo*
Abrazar es estrechar entre los brazos en señal de cariño.

Abrigo - *sustantivo*
El abrigo es una prenda de vestir. Nos lo ponemos al salir de casa cuando hace mucho frío.

Abril - *sustantivo*
Es el cuarto mes del año.

Abrir - *verbo*
Abrir es lo contrario de cerrar.
Abrió la ventana porque hacía mucho calor.

Abuelo - *sustantivo*
El abuelo es el padre de tu papá o de tu mamá. La esposa del *abuelo* se llama abuela.

Accidente - *sustantivo*
Cuando dos coches chocan se produce un *accidente*.

Aceite - *sustantivo*
Es un líquido que se saca de las aceitunas y otras semillas.
Sirve para guisar.

Aceituna - *sustantivo*
La aceituna es el fruto del olivo.

A

Acera - *sustantivo*

Es la parte de la calle por donde camina la gente. Si vamos de paseo por la ciudad, tenemos que ir por la *acera*.

Actor - *sustantivo*

Actor es la persona que representa un papel en el teatro, en el cine o en la televisión. Si es una mujer se llama *actriz*.

Adiós - *interjección*

Adiós es una palabra que se usa para despedirse de alguien.

Afilar - *verbo*

Afilar es sacar punta a un lápiz. También se puede afilar un cuchillo o unas tijeras para que corten mejor.

Agosto - *sustantivo*

Es el octavo mes del año.

Agrio - *adjetivo*

El sabor del limón es agrio. Es un sabor parecido al del vinagre.

Agua - *sustantivo*

El agua es un líquido sin olor ni sabor. La lluvia, los ríos y los mares son *agua*. Sin *agua* no habría vida en el mundo.

A

ÁGUILA

Águila - *sustantivo*
El águila es un ave que vive en lo alto de las montañas. Es muy grande y vuela muy rápido.

Aguja - *sustantivo*
Una aguja sirve para coser. Es muy fina y de metal, con un agujero por donde pasa el hilo.

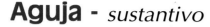

Agujero - *sustantivo*
Un agujero es una abertura en una pared, en una tela, etc. Los niños pasaron al jardín por un *agujero* que había en la tapia.

Aire - *sustantivo*
El aire nos rodea por todas partes, pero no podemos verlo ni tocarlo. Sin respirar el *aire* no podríamos vivir.

Ajo - *sustantivo*
El ajo es una planta que se usa para dar sabor a las comidas.

Ala - *sustantivo*
Las alas son una parte del cuerpo de algunos animales que les sirven para volar. Los aviones también tienen *alas*.

Albañil - *sustantivo*
Un albañil es una persona que se dedica a hacer casas.

A

10

Alegría - *sustantivo*

Alegría es lo que nos hace estar contentos y reír. Los regalos dan mucha *alegría* a los niños.

Alfombra - *sustantivo*

Las alfombras se usan para cubrir el suelo de las habitaciones o escaleras.

Alimento - *sustantivo*

Alimento es la comida y bebida que tomamos para poder vivir. El pan y la leche son *alimentos*.

embutido

pollo

pescado

pan

carne

frutas

flan

A

ALLÍ

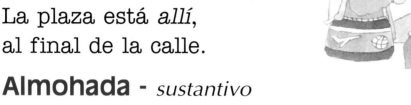

Allí - *adverbio*
Señala algo que está lejos.
La plaza está *allí*,
al final de la calle.

Almohada - *sustantivo*
La almohada sirve para apoyar la cabeza
en la cama.

Alto - *adjetivo*
Una persona alta es aquella que tiene gran estatura. Las
cosas y los animales también pueden ser *altos* como,
por ejemplo, los rascacielos y las jirafas.

Alumno - *sustantivo*
Un alumno es la persona que va al colegio o a la
escuela para aprender cosas.

Amanecer - *verbo*
Amanecer es cuando sale el sol.
En invierno *amanece* más
tarde que en verano.

Amapola - *sustantivo*
La amapola es una flor de color rojo que
crece en el campo. Tú puedes ver
muchas *amapolas* en
los trigales.

Amarillo - *adjetivo*
Es un color. El amarillo
es el color de los girasoles.

A

Ambulancia - *sustantivo*

Una ambulancia es un coche especial que se utiliza para llevar a personas enfermas.

Amigo - *sustantivo*

Un amigo es una persona a la que se quiere mucho. Los *amigos* siempre se ayudan.

Ancho - *adjetivo*

Decimos que una cosa es **ancha** cuando hay un espacio grande entre un lado y otro.

Anciano - *adjetivo*

Un anciano es una persona que tiene muchos años. Debemos ser respetuosos y educados con las personas *ancianas*.

Andar - *verbo*

Andar es ir de un lugar a otro dando pasos.

Anillo - *sustantivo*

Un anillo es un adorno de oro, plata u otro material, que se pone en el dedo.

A

ANIMAL

Animal - *sustantivo*

Un animal es un ser vivo que siente y que puede moverse por sí mismo. La vaca es un *animal*, una piedra no.

Jaguar

León

Canario

Burro   Paloma

Jabalí

Pavo

Camaleón

Lombriz

Lagarto

Liebre

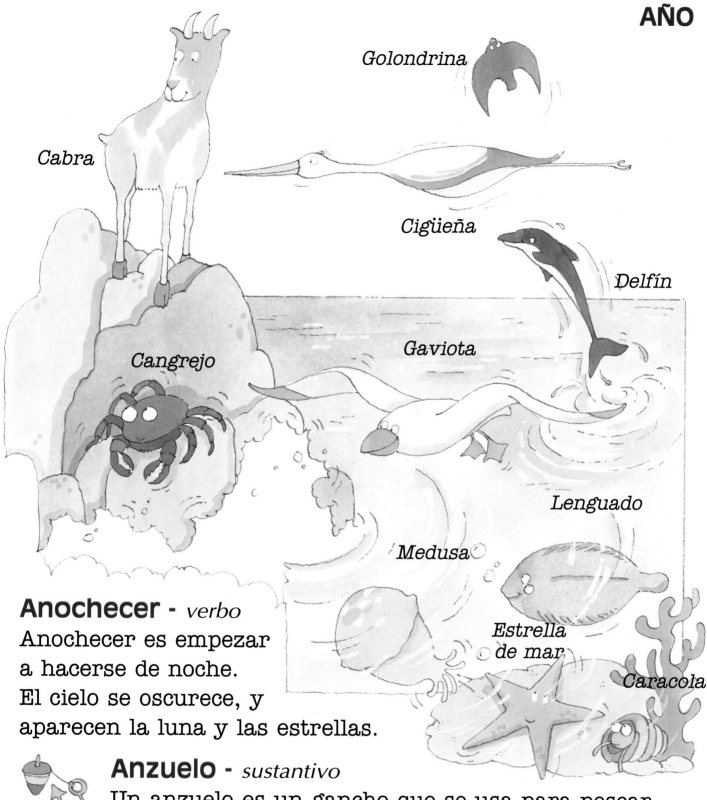

Golondrina

Cabra

Cigüeña

Delfín

Cangrejo

Gaviota

Lenguado

Medusa

Estrella
de mar

Caracola

Anochecer - *verbo*
Anochecer es empezar
a hacerse de noche.
El cielo se oscurece, y
aparecen la luna y las estrellas.

Anzuelo - *sustantivo*
Un anzuelo es un gancho que se usa para pescar.

Año - *sustantivo*
Es el tiempo que la Tierra tarda en dar una vuelta alrededor del Sol. El *año* tiene 12 meses, 52 semanas o 365 días.

A

Aprender - *verbo*

Aprender es llegar a conocer algo que no se sabía.
Se puede *aprender* un juego, una lección, etc.

Aquí - *adverbio*

Aquí quiere decir en este lugar.
Tú estás *aquí*, a mi lado.

Araña - *sustantivo*

La araña es un animal que vive
en una tela de seda que fabrica
ella misma, y con la cual caza insectos.

Árbol - *sustantivo*

Un árbol es una planta. Tiene las raíces
bajo tierra y un tronco grueso del que
salen las ramas. Las ramas dan hojas,
flores y frutos. El naranjo y el pino son *árboles*.

Arco - *sustantivo*

Un arco es una línea curva. También   es un arma que
sirve para disparar flechas.

Arco iris - *sustantivo*

Es el arco que se forma algunas veces en el cielo, después
de llover. Tiene siete colores:
rojo, naranja, amarillo,
verde, azul, añil y
violeta.

A   **16**

Ardilla - *sustantivo*

La ardilla es un animalito muy juguetón que vive en los árboles. Tiene una cola larga y peluda y come frutos.

Arena - *sustantivo*

Son trocitos de roca muy finos, casi como polvo, que se encuentran en la orilla de los ríos y mares, y en los desiertos.

Armario - *sustantivo*

Un armario es un mueble con puertas y cajones que sirve para guardar ropa y otros objetos.

Aro - *sustantivo*

Un aro es un objeto de metal, madera u otro material que tiene forma redonda.

Arrastrar - *verbo*

Arrastrar es llevar algo por el suelo, tirando de ello. Al niño le gusta *arrastrar* por el jardín su camión cargado de arena.

Arreglar - *verbo*

Arreglar es reparar algo que está estropeado. Su papá le *arregló* el juguete roto.

Arriba - *adverbio*

Indica un lugar más alto que otro. María está *arriba*, en la copa del árbol, Luis está abajo.

A

Arroyo - *sustantivo*
Un arroyo es un río pequeño.

Arroz - *sustantivo*
El arroz es una planta que da unos granos blancos. Con el *arroz* podemos hacer paella.

Artista - *sustantivo*
El escultor y el pintor son *artistas*, hacen cosas bonitas: cuadros, figuras...

Asar - *verbo*
Asar es preparar un alimento poniéndolo al fuego o al horno.

Ascensor - *sustantivo*
El ascensor sirve para subir y   bajar de unos
pisos a otros en un edificio.

Asiento - *sustantivo*
Un asiento es todo aquello que sirve para sentarse. Una silla es un *asiento*.

Astro - *sustantivo*
Las estrellas que brillan por la noche en el cielo son astros; también el Sol y la Luna lo son.

Astronauta - *sustantivo*
Es la persona que conduce una nave espacial.

A

Autobús - *sustantivo*

Un autobús es un coche
grande y alargado
en el que pueden ir
muchas personas.

Automóvil - *sustantivo*

Un automóvil es un coche que se mueve con un motor. Sirve
para llevar personas de un sitio a otro.

Autor - *sustantivo*

Autor es la persona que
hace o inventa una cosa.
El que escribe un libro es un *autor*.

Ave - *sustantivo*

Ave es todo animal que tiene plumas y alas.
La paloma es un *ave* que vuela, la gallina es un *ave*
que no vuela.

Avestruz - *sustantivo*

Es el ave más grande que se conoce y la más veloz del
mundo.

Avión - *sustantivo*

El avión es un aparato con alas y motor,   que puede
volar por el aire a gran velocidad.

Avispa - *sustantivo*

La avispa es un insecto parecido a la abeja.
Es de color amarillo con rayas negras, y tiene
un aguijón con el que pica.

A

AYUDAR

Ayudar - *verbo*
Ayudar es hacer algo por otra persona.

Ayuntamiento - *sustantivo*
El Ayuntamiento es el grupo de personas, dirigidas por el alcalde, que gobiernan tu pueblo o ciudad. También el edificio donde trabajan se llama *Ayuntamiento*.

Azúcar - *sustantivo*
El azúcar se usa para endulzar algunos alimentos.

Azul - *adjetivo*
Es el color del cielo y del mar.

A

Bache - *sustantivo*

Un bache es un hoyo abierto en medio de una carretera.

Bailar - *verbo*

Bailar es mover el cuerpo al ritmo
de la música.

Bajar - *verbo*

Bajar es ir de un lugar alto a otro más bajo.
Bajó corriendo las escaleras y salió a la calle.

Bajo - *adjetivo*

Es lo contrario de alto.
Juan es más *bajo* que María.

Balcón - *sustantivo*

Puedes asomarte al *balcón*
de tu casa para ver la calle.
Tiene una barandilla para no caerte.

BALLENA

Ballena - *sustantivo*

La ballena es un animal muy grande que vive en el mar. ¿Conoces la historia de Moby Dick, la *ballena* blanca?

Balón - *sustantivo*

Un balón es una pelota grande. Sirve para jugar al fútbol, al baloncesto y a otros deportes.

Baloncesto - *sustantivo*

Es un juego entre dos equipos. Los jugadores tienen que meter un balón, con las manos, en un aro con una red que se llama canasta.

Balsa - *sustantivo*

Una balsa es un conjunto de troncos de árbol atados entre sí, que se usa para navegar por los ríos. También puede fabricarse de plástico.

Banco - *sustantivo*

Un banco es un asiento para varias personas.

En los parques y jardines hay *bancos*. También es un lugar donde se guarda el dinero.

Bandeja - *sustantivo*

Una bandeja sirve para llevar botellas, vasos y otras cosas.

Bandera - *sustantivo*

Una bandera es un trozo de tela de uno o varios colores que se utiliza como símbolo de un país, de una ciudad, de un equipo, etc. ¿Sabes cuáles son los colores de la bandera de tu país?

Bañador - *sustantivo*

El bañador es una prenda que usamos para bañarnos en el mar, en el río o en la piscina.

Bañera - *sustantivo*

Cuando me quiero bañar, lleno la *bañera* de agua.

Baño - *sustantivo*

Tomar un *baño* es sumergir todo el cuerpo en la bañera, el mar, la piscina...

Barba - *sustantivo*

La barba es el pelo que crece en la cara.

Barca - *sustantivo*

Una barca es un barco pequeño.
Se usa para pescar o para pasear por el mar.

Barco - *sustantivo*

Los barcos navegan por el mar y sirven para llevar personas y cosas. Algunos son más grandes que casas.

Barra - *sustantivo*

Una barra es una pieza de hierro u otro material con forma alargada.

Barrer - *verbo*

Barrer es limpiar el suelo con una escoba.

B

Barro - *sustantivo*

El barro es una mezcla de tierra y agua.

Bastón - *sustantivo*

Los ancianos, a veces, necesitan un *bastón* para apoyarse al andar.

Basura - *sustantivo*

Basura pueden ser muchas cosas: lo que se recoge barriendo, los desperdicios de la comida, lo que se tira porque ya no se usa, etc. Nunca debes tirar *basura* en el campo.

Bata - *sustantivo*

Es una prenda de vestir que se usa para estar en casa. También se llama *bata* a la prenda que se ponen sobre el vestido las personas que trabajan en hospitales, peluquerías, etc.

Bebé - *sustantivo*

Un bebé es una niña o un niño muy pequeño.

Beber - *verbo*

Beber es tragar un líquido.

Biblioteca - *sustantivo*

Una biblioteca es un lugar donde hay muchos libros ordenados. Tú puedes ir a la *biblioteca* a leer libros.

Bicicleta - *sustantivo*

Una bicicleta es un vehículo de dos ruedas, sin motor, que se mueve con pedales.

Bien - *adverbio*

Hacer bien una cosa
es hacerla correctamente.
Esa operación está *bien* hecha.

Bigote - *sustantivo*

Es el pelo que crece debajo de la nariz.

Billete - *sustantivo*

Un billete es dinero de papel que se utiliza para comprar cosas. También se llama *billete* al papel que hay que comprar para viajar en tren o en autobús, o para entrar al cine o al teatro.

Blanco - *adjetivo*

Es el color de la leche y de la nieve.

Blando - *adjetivo*

Blando es lo contrario de duro. Un pastel es *blando*, una piedra es dura.

Boca - *sustantivo*

Las personas comemos, bebemos y hablamos con la boca.

Bocadillo - *sustantivo*

Un bocadillo es un trozo de pan relleno de jamón, queso o cualquier otra cosa de comer.

25

B

BOLA

Bola - *sustantivo*
Una bola es un objeto redondo, por ejemplo, una canica.

Bolígrafo - *sustantivo*
El bolígrafo sirve para escribir. Tiene un tubo de tinta que dura mucho y que puede ser de diferentes colores.

Bolsa - *sustantivo*
Una bolsa es un saco pequeño de tela, papel, plástico, etc., que sirve para llevar o guardar algo.

Bolsillo - *sustantivo*
Algunas prendas de vestir tienen bolsillos para guardar el dinero o cosas pequeñas.

Bolso - *sustantivo*
Un bolso es una bolsa de mano, usada por las mujeres para llevar las llaves y otras cosas.

Bombero - *sustantivo*
Los bomberos son las personas que se dedican a apagar los incendios.

Bombilla - *sustantivo*
La bombilla sirve para dar luz, y tiene forma de pera.

Bombón - *sustantivo*
Los bombones son golosinas de chocolate.

Bonito - *adjetivo*
Es bonito lo que nos gusta. Las flores son *bonitas*.

Borrador - *sustantivo*

Es un objeto que se usa para borrar. Un *borrador* es también lo primero que se escribe sobre algo, antes de pasarlo a limpio.

Borrón - *sustantivo*

Un borrón es una manxha fe mancha de tinta que se hace en el papel.

Bosque - *sustantivo*

Un bosque es un lugar con muchos árboles.

Bota - *sustantivo*

Las botas son zapatos que llegan hasta el tobillo o más arriba.

Bote - *sustantivo*

Un bote es un barco pequeño con remos. Un *bote* es también un frasco con tapadera que sirve para guardar cosas.

Botella - *sustantivo*

Una botella es un recipiente, generalmente de cristal o de plástico, que sirve para guardar líquidos.

Botón - *sustantivo*

Los botones sirven para abrochar las chaquetas, los abrigos, los pantalones, etc. Están hechos de diversos materiales y formas.

Brazo - *sustantivo*

El brazo es la parte de nuestro cuerpo que va desde el hombro hasta la mano. Las personas tenemos dos *brazos*.

B

Brillo - *sustantivo*
Decimos que una cosa tiene brillo cuando reluce.

Brújula - *sustantivo*
La brújula tiene una aguja que señala siempre el Norte. Sirve para no perderse en el mar, en el monte, etc.

Bueno - *adjetivo*
Alguien es bueno cuando se porta bien. Si algo nos gusta, decimos que está *bueno*.

Bufanda - *sustantivo*
La bufanda es una prenda de lana con la que nos tapamos el cuello y la boca cuando hace frío.

Búho - *sustantivo*
Es un ave que duerme por el día y está despierta por la noche.

Burro - *sustantivo*
El burro es un animal parecido al caballo, pero más pequeño. Se utiliza generalmente para hacer trabajos pesados.

Buzo - *sustantivo*
Un buzo es una persona que usa un traje especial para moverse por debajo del agua sin ahogarse.

Buzón - *sustantivo*
Es el lugar donde se echan las cartas.

B

Caballo - *sustantivo*

El caballo es un animal doméstico, grande y de cuatro patas. Lo utilizamos generalmente para montar en él.

Cabeza - *sustantivo*

La cabeza es la parte del cuerpo de las personas y de los animales en la que están los ojos, la nariz, la boca y las orejas. La *cabeza* está unida al resto del cuerpo por el cuello.

Cable - *sustantivo*

Un cable es un hilo largo de metal. Estuvieron poniendo los *cables* de la luz.

Cabra - *sustantivo*

La cabra es un animal doméstico de cuatro patas, con cuernos, que nos da carne y leche.

Cadena - *sustantivo*

Una cadena es un conjunto de anillos unidos uno detrás de otro. Estos anillos se llaman eslabones y pueden tener distintas formas.

Caer - *verbo*

Caer es perder el equilibrio y acabar en el suelo. Iba corriendo y se *cayó*.

Café - *sustantivo*

Granos que se sacan de un árbol llamado café o cafeto. Con estos granos se hace una bebida que también se llama *café*.

Cafetera - *sustantivo*

Aparato que sirve para hacer café.

Caja - *sustantivo*

Recipiente hueco por dentro. En una *caja* se pueden meter cosas: zapatos, juguetes, etc.

Cajón - *sustantivo*

El cajón es la parte de los armarios, mesas y otros muebles parecida a una caja, que sirve para guardar cosas.

Calamar - *sustantivo*

El calamar es un animal comestible que vive en el mar. Tiene ocho brazos largos y expulsa tinta para esconderse.

Calcetín - *sustantivo*

El calcetín es la prenda que nos abriga el pie. Cubre el tobillo y parte de la pierna.

Calendario - *sustantivo*

En un calendario están señalados todos los días, semanas y meses del año. ¿Sabes cómo se maneja un *calendario*? Mira el dibujo: ¿qué día es el cuatro de julio?

Calle - *sustantivo*

Una calle es el espacio que hay entre dos hileras de casas. ¿Cómo se llama la *calle* principal de tu ciudad?

Calor - *sustantivo*

El sol, el fuego, la calefacción, etc., nos dan calor. En el desierto hace *calor*.

Calzada - *sustantivo*

La calzada es la parte de la calle por donde van los coches.

Cama - *sustantivo*

La cama es el mueble donde descansan y duermen las personas. Sobre la *cama* se pone el colchón, las sábanas, las mantas, la colcha y la almohada.

Cambiar - *verbo*

Cambiar es dar una cosa por otra. Los niños y las niñas suelen *cambiar* sus juguetes.

CAMELLO

Camello - *sustantivo*

El camello es un animal que tiene cuatro patas, un cuello muy largo y dos jorobas. Se utiliza en el desierto porque puede estar muchos días sin beber agua.

Caminar - *verbo*

Caminar es ir a pie.

Camino - *sustantivo*

Un camino es una carretera estrecha y en mal estado por donde circulan las personas, los animales y los coches, pero con dificultad.

Camión - *sustantivo*

Un camión es un coche muy grande, de cuatro o más ruedas, que sirve para transportar cosas.

Camisa - *sustantivo*

Una camisa es una prenda de vestir de tela que cubre, generalmente, desde el cuello a la cintura. Se suele poner debajo de los trajes, jerséis...

Camiseta - *sustantivo*

Una camiseta es una prenda de vestir de algodón, sin cuello y de manga corta o sin mangas. También se llama *camiseta* a la prenda que se pone debajo de la camisa.

Campana - *sustantivo*

Una campana es un instrumento de metal que tiene forma de copa puesta boca abajo. Las *campanas* suenan cuando las golpea una barra que tienen dentro, llamada badajo.

Campanario - *sustantivo*
El campanario es la torre de la iglesia donde están las campanas.

Campo - *sustantivo*
El campo es un lugar fuera de las ciudades y de los pueblos, donde hay prados verdes, árboles, montañas y ríos. También se llama campo a la tierra que se siembra, y al lugar donde se pueden practicar distintos deportes.

Canario - *sustantivo*
Un canario es un pájaro pequeño que canta y que generalmente es de color amarillo.

Canción - *sustantivo*
Una canción es la letra y la música que se canta.

Cantar - *verbo*
Cantar es producir con la voz sonidos musicales.

Capa - *sustantivo*
La capa es una prenda de vestir larga y sin mangas, que se pone sobre los vestidos.

Cara - *sustantivo*
La cara está en la cabeza y en ella tenemos los ojos, la nariz y la boca. Señala estas cosas en el dibujo.

CARACOL

Caracol - *sustantivo*

El caracol es un animal pequeño y muy lento.
Vive en un caparazón que lleva a cuestas.

Caramelo - *sustantivo*

Un caramelo es una golosina que se chupa y que está hecha
de pasta de azúcar. Los *caramelos* pueden tener muchos
sabores.

Carbón - *sustantivo*

El carbón es un mineral de color negro.   Se utiliza
para hacer fuego y producir calor.

Careta - *sustantivo*

Una careta es una máscara para ponerse en la cara.

Carnaval - *sustantivo*

El carnaval es una fiesta
en la que las personas
se ponen disfraces.

Carne - *sustantivo*

La carne es un alimento que nos dan los animales. Un filete
es un trozo de *carne*.

Carpeta - *sustantivo*

Una carpeta sirve para guardar papeles, sin que se arruguen.

Carpintero - *sustantivo*

Es la persona que realiza
trabajos con madera.

Carrera - *sustantivo*

Echar una carrera es ir corriendo de un lugar a otro. Luis y María echaron una *carrera* hasta el colegio.

Carretera - *sustantivo*

Una carretera es un sitio ancho por donde circulan los coches, los camiones, etc.

Carro - *sustantivo*

Un carro es un vehículo de madera tirado por animales, que se usa en los trabajos del campo. En algunos países de América se llama *carro* al coche o automóvil.

Carta - *sustantivo*

Una carta es un papel escrito en el que una persona cuenta cosas a otra. La carta se mete dentro de un sobre y se envía por correo. *Cartas* son también unos cartones pintados que sirven para jugar.

Cartera - *sustantivo*

Una cartera es una bolsa que sirve para guardar cosas. Hay carteras grandes, para meter libros y cuadernos; y hay carteras pequeñas, para meter dinero, llaves, etc.

Cartero - *sustantivo*

El cartero es la persona que lleva las cartas a las casas.

Cartulina - *sustantivo*

Una cartulina es un papel muy fuerte que se usa para hacer trabajos manuales.

CASA

Casa - *sustantivo*

Una casa es el lugar donde vive la gente. Algunas casas tienen muchos pisos. ¿En qué piso de tu *casa* vives?

Casco - *sustantivo*

Un casco es un gorro de metal. Los bomberos llevan *casco* para protegerse la cabeza.

Castillo - *sustantivo*

Un castillo es un edificio muy grande y fuerte. Está hecho de piedra y tiene torres y murallas.

Cebolla - *sustantivo*

La cebolla es una planta. Tiene un olor fuerte y se usa para cocinar.

Cebra - *sustantivo*

La cebra es un animal parecido al burro, que tiene el cuerpo a rayas negras y blancas.

Cena - *sustantivo*

La cena es la comida que se hace por la noche.

Cepillo - *sustantivo*

El cepillo es un instrumento que se usa para limpiar la ropa o los zapatos. También hay *cepillos* pequeños para lavarse los dientes.

Cerca - *adverbio*

Está cerca de ti lo que hay a tu lado. Ana está *cerca* del árbol.

Cerdo - *sustantivo*

El cerdo es un animal doméstico.
Del *cerdo* se saca carne para comer.

Cereza - *sustantivo*

Es una fruta de color rojo. Es casi redonda y tiene dentro
un hueso, que es la semilla.

Cerilla - *sustantivo*

Una cerilla es un palito con una cabeza que,
al rasparla, produce fuego. En algunos países
también se llama fósforo.

Cerrado - *adjetivo*

En la mesa un cajón está *cerrado* 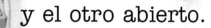 y el otro abierto.

Cesta - *sustantivo*

Las cestas se utilizan para llevar ropa,
frutas u otras cosas, y suelen estar
hechas de mimbre, juncos...

Chaqueta - *sustantivo*

La chaqueta es una prenda de vestir, con mangas, que llega
hasta la cintura y está abierta por delante.

Charco - *sustantivo*

Un charco es un hoyo lleno de agua.
Después de llover, había
muchos *charcos* en la calle.

Chato - *adjetivo*

Una persona *chata* es la que tiene la nariz pequeña.

CHICO/A

Chico/a - *sustantivo*
Un chico es un niño. Juan es un *chico*. La hermana de Juan es una *chica*.

Chimenea - *sustantivo*
La chimenea está colocada en los tejados de las casas, fábricas, etc., y por ella sale el humo.

Chocolate - *sustantivo*
El chocolate se hace con azúcar y cacao, y sabe dulce. El cacao se descubrió en México, país que hoy es uno de los principales productores.

Ciego - *adjetivo*
Una persona *ciega* es aquella que no puede ver.

Cielo - *sustantivo*
El cielo es el espacio que rodea a la Tierra. El Sol, la Luna y las estrellas están en el *cielo*.

Ciervo - *sustantivo*
El ciervo es un animal de patas largas y cola muy corta, que tiene cuernos en forma de ramas.

Cigüeña - *sustantivo*
La cigüeña es un ave blanca y negra que tiene las patas muy largas. Las *cigüeñas* a veces hacen su nido en los campanarios de las iglesias.

Cinco - *adjetivo*
El cinco es un número. Va después del cuatro y antes del seis.

Cine - *sustantivo*

El cine es el lugar donde podemos ir a ver una película.

Cinta - *sustantivo*

Una cinta es un trozo de tela alargado y estrecho que sirve para atar o adornar algo.

Cinturón - *sustantivo*

Un cinturón es una tira de cuero u otro material, que se usa para sujetar la ropa a la cintura.

Circo - *sustantivo*

El circo es un espectáculo con payasos, fieras, etc.

Ciruela - *sustantivo*

La ciruela es una fruta redonda y pequeña. Su sabor puede ser dulce o amargo.

Cisne - *sustantivo*

El cisne es un ave de plumas blancas, con el cuello muy largo.

Ciudad - *sustantivo*

La ciudad está formada por casas y calles. En una *ciudad* vive mucha gente.

Clase - *sustantivo*

Una clase es el lugar donde el profesor enseña a sus alumnos.

Clavel - *sustantivo*

El clavel es una flor de olor agradable.

CLAVO

Clavo - *sustantivo*
Un clavo es una punta y sirve para colgar cuadros en las paredes.

Coche - *sustantivo*
Es el automóvil que las personas utilizamos para viajar o movernos de un sitio a otro.

Cocina - *sustantivo*
La cocina es el lugar de la casa donde se hace la comida.

Cocodrilo - *sustantivo*
El cocodrilo es un animal que vive en los ríos de la selva y los pantanos.

Cohete - *sustantivo*
Un cohete es un aparato para subir al espacio.

Colegio - *sustantivo*
El colegio es el lugar donde las niñas y los niños estudian y aprenden.

Colmena - *sustantivo*
La colmena es la casa de las abejas.

Colocar - *verbo*
Colocar es poner una cosa en su sitio.
Colocó sus libros en el cajón.

Colonia - *sustantivo*
La colonia es agua perfumada que utilizamos para oler bien.

Color - *sustantivo*

Todo lo que vemos tiene un color. El balón es rojo, el árbol es verde. Rojo y verde son *colores*.

verde

azul

rojo

rosa

violeta

marrón

naranja

amarillo

41

COLUMPIO

Columpio - *sustantivo*

Un columpio es un asiento que sirve para balancearse.

Collar - *sustantivo*

Un collar es un adorno que se pone alrededor del cuello.

Comedor - *sustantivo*

El comedor es el sitio de la casa donde se come.

Comer - *verbo*

Comer es masticar y tragar los alimentos.

Cometa - *sustantivo*

Una cometa es un juguete que se hace con papel de colores, clavado en unos palos, y una cuerda muy larga. Las *cometas* pueden volar a gran altura.

Comida - *sustantivo*

Todo aquel alimento que se puede comer es comida.

Comprar - *verbo*

Comprar es cambiar una cosa por dinero. Lo contrario de *comprar* es vender.

Concha - *sustantivo*

La concha protege el cuerpo de algunos animales. La almeja tiene *concha*.

Conducir - *verbo*

Conducir es manejar un coche, un camión, una moto, etc.

Conejo - *sustantivo*

El conejo es un animal que tiene
las orejas muy largas y la piel muy suave.

Conocer - *verbo*

Conocer es saber algo. *Conocer* a una persona es saber
quién es y cómo es.

Contar - *verbo*

Contar es decir los números por orden. *Contar* es también
explicar algo.

Contento - *adjetivo*

Estar contento es sentirse alegre
y con ganas de reír.

Copa - *sustantivo*

Una copa es un vaso que se sujeta con una base
que se llama pie.

Corazón - *sustantivo*

El corazón es una parte del cuerpo de las personas y de los
animales. Es como un motor que hace que la sangre circule
por todo el cuerpo.

Corbata - *sustantivo*

La corbata se lleva en el cuello de la camisa como adorno.

Correr - *verbo*

Correr es ir muy rápido de un sitio a otro.

CORTAR

Cortar - *verbo*
Cortar es partir una cosa.

Corteza - *sustantivo*
La corteza es la parte que cubre el tronco de los árboles.

Cortina - *sustantivo*
Es la tela que se utiliza para decorar puertas, ventanas, etc.

Largo
corto

Corto - *adjetivo*
Una cosa es corta cuando es de poca extensión o cuando dura poco tiempo. La película fue muy *corta*. *Corto* es lo contrario de largo.

Cosa - *sustantivo*
Una cosa es todo lo que se puede ver y tocar.

Coser - *verbo*
Coser es utilizar hilo y aguja para hacer prendas de vestir o arreglar aquellas que estén rotas.

Costa - *sustantivo*
La costa es la orilla del mar.

C

Crecer - *verbo*

Crecer es aumentar de tamaño.

Crema - *sustantivo*

La crema es una pasta dulce que se echa en los pasteles.
Hay también crema para broncearse y para cuidar la cara.

Cristal - *sustantivo*

El cristal es un material transparente,
que se utiliza para hacer copas,
vasos, botellas, etc. Las ventanas
también tienen *cristales* para que
pueda entrar la luz.

Cromo - *sustantivo*

Un cromo es una estampa de papel con dibujos. Luis colec-
ciona *cromos* de animales.

Cruzar - *verbo*

Cruzar es pasar de un sitio a otro.

Cuaderno - *sustantivo*

Un cuaderno es un conjunto de hojas
de papel que sirve para escribir en él.

Cuadro - *sustantivo*

Un cuadro es una lámina pintada. Los pintores pintan *cuadros.*

45

CUATRO

Cuatro - *adjetivo*

El cuatro es un número. Va después del tres y antes del cinco.

Cubo - *sustantivo*

Un cubo es un recipiente para meter cosas. Tiró los zapatos viejos al *cubo* de la basura. Un cubo es también una figura que tiene seis lados.

Cuchara - *sustantivo*

La cuchara es un utensilio que sirve para tomar alimentos líquidos, como son el puré, la sopa, etc.

Cuchillo - *sustantivo*

El cuchillo es un utensilio que sirve para cortar. Durante la comida *corto* la carne con el cuchillo.

Cuento - *sustantivo*

Un cuento es la historia de un suceso inventado que puede estar escrito en un libro o ser contado por alguien. ¿Has leído el *cuento* de Caperucita Roja?

Cuerda - *sustantivo*

Una cuerda está hecha con muchos hilos trenzados. Las *cuerdas* se usan para atar cosas.

Cuerno - *sustantivo*

Algunos animales, como las cabras, los toros y los ciervos, tienen *cuernos* en la cabeza.

Cuerpo - *sustantivo*

Un objeto o cosa que se puede ver y tocar es un cuerpo.
También se llama *cuerpo* al conjunto que forman la cabeza,
cuello, espalda, pecho, vientre, brazos y piernas de una
persona. Los animales también tienen *cuerpo*.

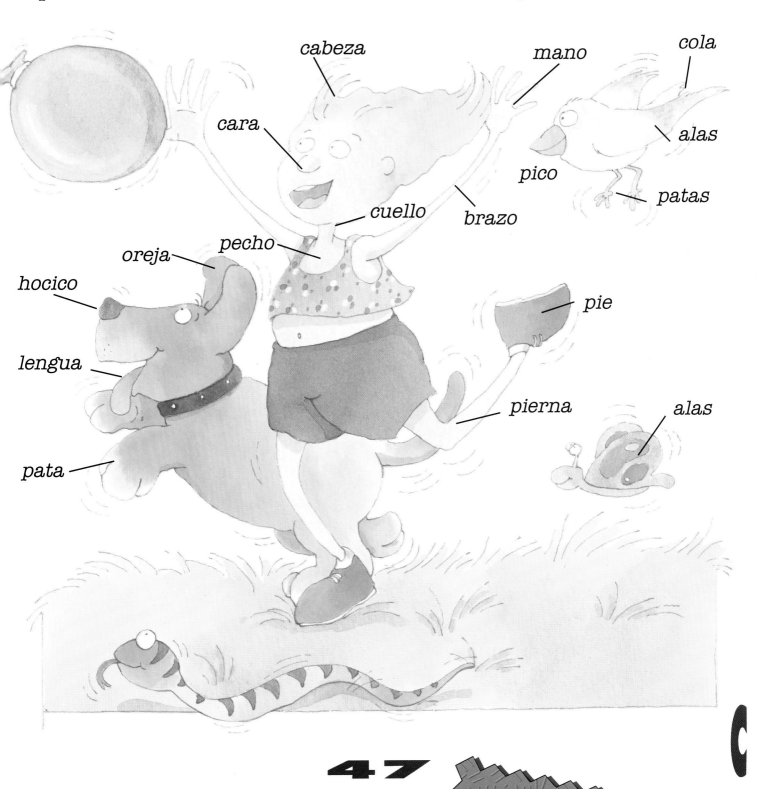

cabeza

mano

cola

cara

alas

pico

cuello

brazo

patas

oreja

pecho

hocico

pie

lengua

pierna

alas

pata

CUEVA

Cueva - *sustantivo*
Una cueva es un agujero grande
que hay dentro de las montañas.

Cuidar - *verbo*
Cuidar algo o a alguien es estar
atento para que no le pase nada.

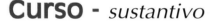

Cumpleaños - *sustantivo*
En un cumpleaños se celebra
el día del nacimiento de alguien.

Cuna - *sustantivo*
Una cuna es una cama pequeña
para los bebés.

Curso - *sustantivo*
El curso es el tiempo del año que se va
a la escuela o colegio. El *curso* de un
río es el camino por donde va el agua
de ese río.

C

Dado - *sustantivo*

Un dado es un cubo que sirve para jugar.
En sus lados tiene puntos dibujados para indicar
los números desde el uno hasta el seis.

Dar - *verbo*

Dar es entregar una cosa.

Debajo - *adverbio*

En un lugar inferior. El balón está *debajo* de la mesa.

Decir- *verbo*

Decir es hablar. Siempre se debe *decir* la verdad.

Dedal - *sustantivo*

El dedal es un utensilio pequeño que se pone en
el dedo cuando se cose.
Sirve para empujar la aguja sin hacerse daño.

49

DEDO

Dedo - *sustantivo*

Cada una de las partes en que terminan las manos y los pies. Tenemos cinco *dedos* en cada mano, y otros cinco en cada pie.

Delantal - *sustantivo*

Un delantal es una prenda de vestir que se pone para no manchar la ropa cuando se hace la comida.

Delante - *adverbio*

Una persona o cosa está delante de otra cuando está antes que ella o enfrente de ella. Juan está *delante* de Ana. Luis está *delante* del espejo.

Delgado - *adjetivo*

Juan está más *delgado* que su hermana porque nunca quiere comer.

Dentro - *adverbio*

Estar dentro es estar en el interior de un lugar.
El perro está *dentro* de la caseta.

Deporte - *sustantivo*

Deporte es un juego o ejercicio físico. Esquiar es un *deporte*.

D

Desayuno - *sustantivo*

El desayuno es la primera comida que se toma por la mañana.

Descalzarse - *verbo*

Descalzarse es quitarse los zapatos.

Desierto - *sustantivo*

Un desierto es una extensión muy grande de arena. En el *desierto* casi no hay agua.

Desnudarse - *verbo*

Quitarse la ropa es *desnudarse*.

Despertador - *sustantivo*

Un despertador es un reloj con un timbre, que nos despierta a la hora que queramos.

Despertarse - *verbo*

Despertarse es dejar de dormir.

DETRÁS

Detrás - *adverbio*
Una persona o cosa está detrás
de otra cuando está después de ella.
Ana está *detrás* de Juan.

Día - *sustantivo*
Un día tiene veinticuatro horas. Una semana tiene siete
días. *Día* es también el tiempo en que tenemos la luz del
sol.

Diamante - *sustantivo*
Un diamante es una piedra  muy brillante.
Con los *diamantes* se hacen
anillos, pendientes, etc.

Dibujar - *verbo*
Dibujar es hacer en un papel figuras de
personas, animales, cosas, etc.

Diccionario - *sustantivo*
Un diccionario es un libro que explica el
significado de las palabras. Este libro
que estás leyendo es un *diccionario*.

Diciembre - *sustantivo*
Diciembre es el último mes del año. A los niños les gusta
mucho el mes de *diciembre* porque se celebra la Navidad.

Diente - *sustantivo*
Los dientes están en la boca.
Sirven para morder y masticar
los alimentos.

Diez - *adjetivo*

El diez es un número. Va después del nueve y antes del once.

Dinero - *sustantivo*

Monedas y billetes que sirven para comprar cosas.

Disco - *sustantivo*

Las canciones se graban en un disco que puedes escuchar en el tocadiscos.

Disfraz - *sustantivo*

Un disfraz es un vestido que nos ponemos para que nadie nos reconozca. En la fiesta de carnaval la gente se *disfraza*.

Distinguir - *verbo*

Distinguir es darse cuenta de que una cosa no es igual a otra.

Divertirse - *verbo*

Divertirse es pasarlo bien jugando, en una fiesta, etc.

Docena - *sustantivo*

Una docena son doce cosas.

DOLOR

Dolor - *sustantivo*

El dolor es una fuerte molestia que sentimos en el cuerpo. Una persona también siente *dolor* cuando está triste.

Domingo - *sustantivo*

Es un día de la semana. El *domingo* es un día para descansar y jugar, porque no tienes que ir al colegio.

Dormir - *verbo*

Dormir es descansar con los ojos cerrados.

Dos - *adjetivo*

El dos es el número que va después del uno. Estas *dos* mariposas son de distinto color

Ducha - *sustantivo*

Ducha es un chorro de agua que sirve para lavarse.

Dulce - *adjetivo y sustantivo*

Una cosa es dulce si tiene el sabor del azúcar.
Una tarta es un *dulce.*

Duro - *adjetivo*

Algo que es duro es difícil de doblar y de romper. El hierro es *duro.*

Echar - *verbo*

Echar es hacer que una cosa llegue a algún sitio. *Echó* el agua en la botella. Echar es también hacer salir a alguien de un lugar. Le *echó* de clase.

Edad - *sustantivo*

La edad es el tiempo que ha pasado desde que nacimos. Luis tiene cinco años de *edad*.

Edificio - *sustantivo*

Las casas, iglesias, colegios, etc., son *edificios*. Son lugares hechos por las personas.

Electricidad - *sustantivo*

La electricidad es lo que hace que haya luz y que funcione la lavadora, el frigorífico, etc.

ELEFANTE

Elefante - *sustantivo*
El elefante es un animal muy grande, que tiene trompa y dos colmillos.

Embudo - *sustantivo*
El embudo es un utensilio que tiene una boca ancha y otra estrecha. Se utiliza para echar líquidos por agujeros pequeños.

Empezar - *verbo*
Empezar es dar principio a una cosa. *Empezó* a escribir un cuento sobre brujas y dragones.

Empujar - *verbo*
Empujar es mover una cosa haciendo fuerza contra ella. Luis está *empujando* una caja.

Enano - *sustantivo y adjetivo*
Un enano es una persona de baja estatura.

Encima - *adverbio*
Es lo contrario de debajo. El libro está *encima* de la mesa.

Encina - *sustantivo*
La encina es un árbol del que se saca una madera muy dura. El fruto de la *encina* se llama bellota.

Enero - *sustantivo*

Enero es el primer mes del año.

Enfadado - *adjetivo*

Está *enfadado* porque pensaba
ir a esquiar y no hay nieve.

Enfermo - *adjetivo*

Estar enfermo es no encontrarse bien de salud y sentir
dolor en alguna parte del cuerpo.

Enfermera - *sustantivo*

Enfermera es la persona que cuida a los enfermos.

Entender - *verbo*

Entender es tener una idea clara de las cosas.
Entiendo a mi profesor, porque
explica muy bien la lección.

Entrar - *verbo*

Entrar es pasar de fuera a dentro.
Entró en la casa, porque estaba lloviendo.

Equipo - *sustantivo*

Varias personas que se juntan para
hacer algo forman un equipo.
Hicieron dos *equipos* para jugar al fútbol.

Escalar - *verbo*

Escalar es subir a un sitio alto.
Escalar montañas es un deporte.

ESCALERA

Escalera - *sustantivo*

En las casas hay escaleras para subir y bajar a los pisos.

Escoba - *sustantivo*

La escoba es un cepillo que tiene un mango largo y se utiliza para barrer.

Escoger - *verbo*

Escoger es preferir una cosa a otra.

Escribir - *verbo*

Escribir es poner letras en un papel para formar palabras que tienen un significado. Es una forma de comunicarnos con los demás.

Escuela - *sustantivo*

Es el lugar al que van los niños y las niñas para aprender.

Espejo - *sustantivo*

Un espejo es un cristal que refleja las cosas. Si te miras en un *espejo* te ves a ti mismo.

Espina - *sustantivo*

Una espina es un pincho que tienen algunas plantas. También los peces dentro de su cuerpo tienen *espinas*.

Esponja - *sustantivo*

La esponja la utilizamos en el baño o en la ducha.
Sirve para frotarnos el cuerpo con jabón.

Esquí - *sustantivo*

Los esquís se ponen en los pies
y sirven para deslizarse por la nieve.

Estación - *sustantivo*

Las estaciones del año son:
primavera, verano, otoño e invierno.

Estatua - *sustantivo*

Una estatua es una figura de barro,
madera u otro material, que representa
una persona, animal o cosa.

Este - *sustantivo*

Es uno de los cuatro puntos cardinales que marca la brújula para saber dónde estamos. El sol sale por el *Este*.

Estrecho - *adjetivo*

Estrecho es lo contrario de ancho.
La entrada de la cerca era demasiado
estrecha y no pudo pasar.

ESTRELLA

Estrella - *sustantivo*
Una estrella es un astro
que brilla en el cielo por la noche.

Estuche - *sustantivo*
Es una caja o una bolsa para guardar el bolígrafo,
el lápiz, las pinturas de colores, etc.

Estudiar - *verbo*
Estudiar es aprender una cosa.

Estudiante - *sustantivo*
Es la persona que estudia para saber más.

Estufa - *sustantivo*
Es un aparato que sirve para calentar
los lugares que están fríos.

Excursión - *sustantivo*
Hacer una excursión es ir a algún
sitio para conocerlo. Ana hizo una
excursión al campo.

Explorador - *sustantivo*
Un explorador se dedica a descubrir lugares nuevos.

E

60

Fábrica - *sustantivo*

Una fábrica es un lugar donde las personas, con la ayuda de máquinas, hacen cosas en grandes cantidades. Ese edificio es una *fábrica* de juguetes.

Fácil - *adjetivo*

Algo es *fácil* si se puede hacer sin esfuerzo.

Falda - *sustantivo*

La falda es una prenda de vestir que usan las mujeres para cubrirse de la cintura para abajo.

Familia - *sustantivo*

Tu familia son tus papás y tus hermanos y hermanas. También son tu *familia* tus abuelos, tíos y primos.

FARMACIA

Farmacia - *nombre*

Una farmacia es una tienda donde se venden medicinas.

Faro - *sustantivo*

Un faro es una torre alta que hay en las costas. Tiene una luz arriba que sirve para orientar a los barcos en el mar.

Farola - *sustantivo*

Una farola es una caja de cristal con una luz dentro. Las *farolas* se colocan en las plazas y en las calles para iluminar la ciudad.

Febrero - *sustantivo*

Febrero es el segundo mes del año.

Fecha - *sustantivo*

La fecha es el día, mes y año en el que estamos o en el que pasó algo. ¿Sabes la *fecha* de tu cumpleaños?

Feria - *sustantivo*

La feria es un conjunto de diversiones que se montan cuando son las fiestas de un pueblo o una ciudad. En la *feria* hay tiovivos, tómbolas, caballitos...

Fiera - *sustantivo*

Una fiera es un animal salvaje.
Un tigre es una *fiera*.

Fiesta - *sustantivo*

Fiesta es alegría, diversión. Una fiesta es también un día en
el que se celebra algo. Algunos días de *fiesta* no hay colegio.

Figura - *sustantivo*

Una figura es un dibujo
o una escultura de una persona,
animal o cosa. Juan dibujó una
nube con *figura* de coche.

Fila - *sustantivo*

Es un conjunto de personas o de cosas colocadas en línea
recta. Se colocaron en *fila* para subir al autobús.

Fin - *sustantivo*

El fin es cuando se termina algo.

Flan - *sustantivo*

Un flan es un dulce que está hecho con huevo,
leche y azúcar.

Flecha - *sustantivo*

Una flecha es un arma terminada en punta que se
dispara con un arco. Se llama también flecha
a la señal que indica una dirección.
Para ir al circo sigue la *flecha*.

FLOR

Flor - *sustantivo*

La flor es la parte más bonita de la planta, porque tiene vistosos colores y un agradable olor.

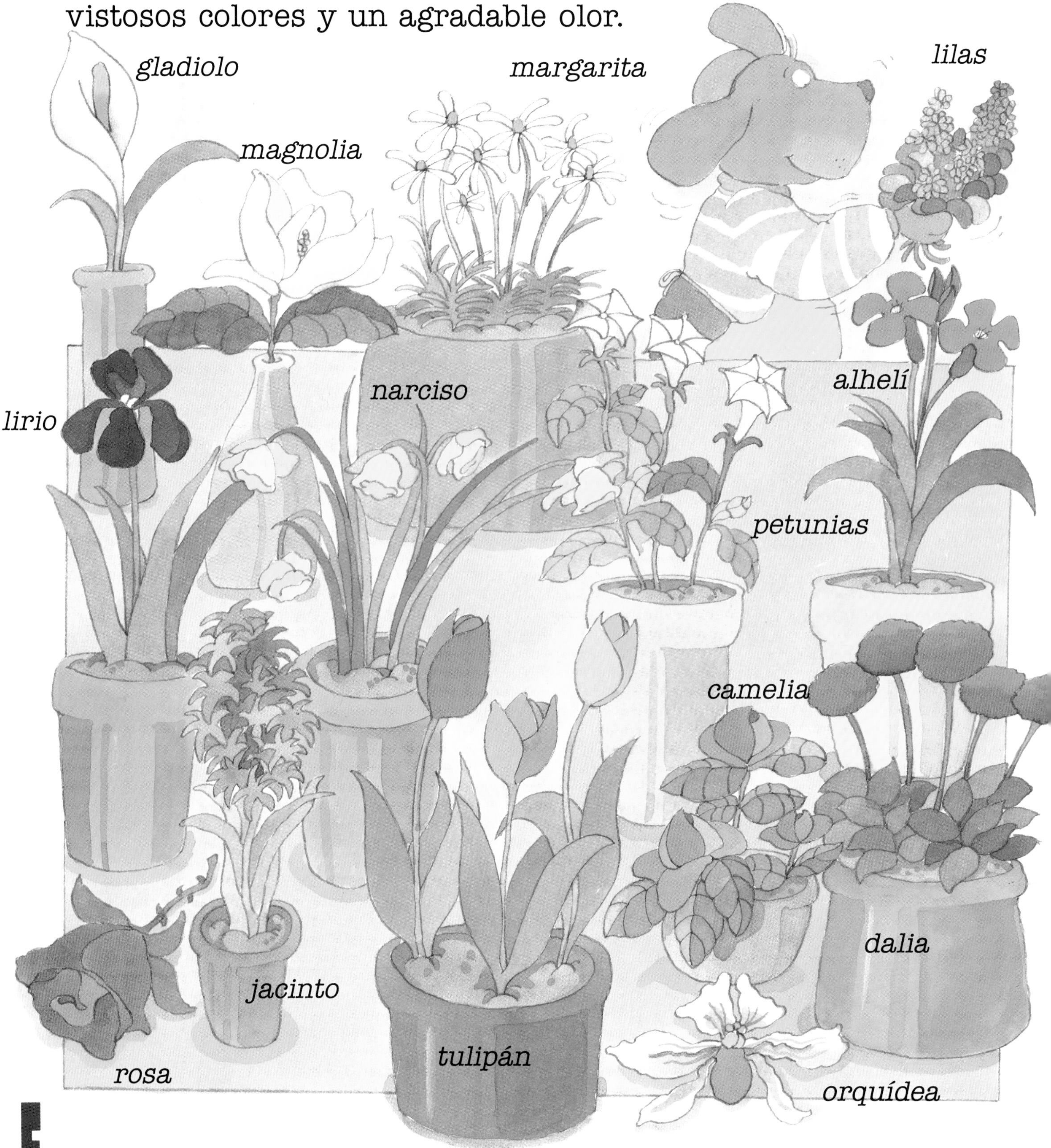

gladiolo

margarita

lilas

magnolia

lirio

narciso

alhelí

petunias

camelia

jacinto

dalia

rosa

tulipán

orquídea

F

64

Flotar - *verbo*

Flotar es no hundirse en el agua. Los barcos *flotan*.

Foca - *sustantivo*

La foca es un animal que puede vivir en la tierra y en el mar, porque tiene aletas. ¿Te gustan las piruetas que hacen las *focas*?

Foco - *sustantivo*

Un foco es un aparato del que sale una luz muy fuerte.

Forma - *sustantivo*

La forma es el aspecto de las cosas por fuera. El balón es de *forma* redonda.

Fotografía - *sustantivo*

Una fotografía es una imagen de personas o cosas en blanco y negro o en color, realizada con una cámara fotográfica.

Fotógrafo - *sustantivo*

Un fotógrafo es una persona que hace fotografías.

Frasco - *sustantivo*

Un frasco es una botella pequeña. Le regalaron un *frasco* de colonia.

Fregar - *verbo*

Fregar es limpiar con agua y jabón los utensilios de comer. *Fregar* es también lavar el suelo.

Freno - *sustantivo*

Con el *freno* puedes parar tu bicicleta donde quieras.

Fresa - *sustantivo*

La fresa es una fruta. color rojo.

La *fresa* madura es de

Fresco - *adjetivo*

Decimos que algo está fresco cuanto está un poco frío. Le gusta la limonada *fresca*.

Frigorífico - *sustantivo*

El frigorífico es como un armario donde hace frío. En él guardamos los alimentos para que no se estropeen.

Frío - *sustantivo*

El *frío* es lo contrario del calor. En los polos hace *frío*.

Frontera - *sustantivo*

Es el lugar donde acaba un país   y comienza otro.

Fruta - *sustantivo*

Es la parte comestible de las plantas donde se encuentran las semillas. La pera es una *fruta*.

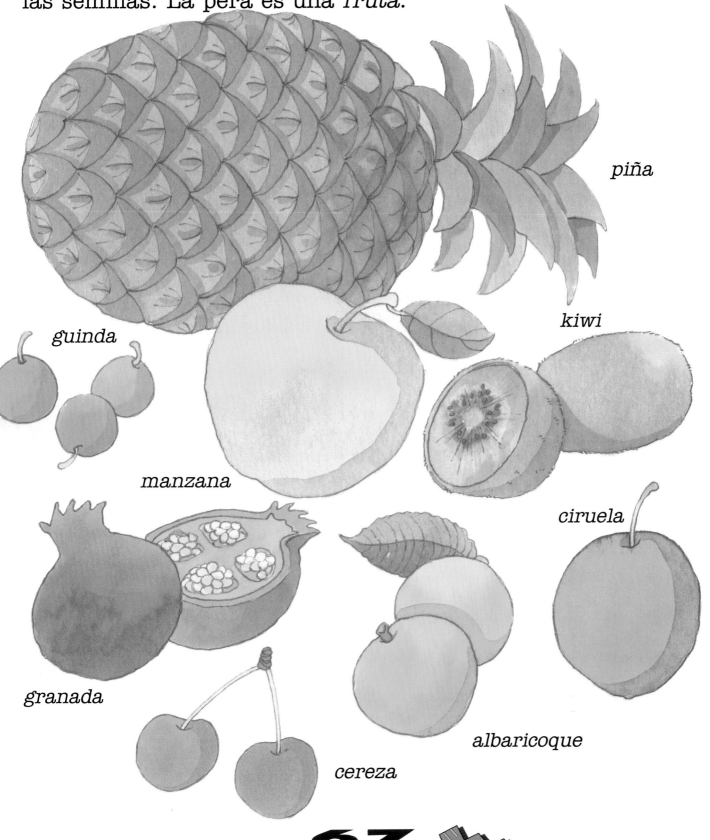

piña

kiwi

guinda

ciruela

manzana

granada

albaricoque

cereza

F

FUEGO

Fuego - *sustantivo*
Las cosas, al quemarse, hacen fuego.
El *fuego* da calor y luz.

Fuente - *sustantivo*
Una fuente es un sitio por donde sale agua. En los jardines hay *fuentes*.
Una *fuente* es también
un plato grande que se usa
para poner los alimentos en la mesa.

Fuera - *adverbio*
Fuera es lo contrario de dentro.

Fuerza - *sustantivo*
Fuerza es lo que se emplea para mover, levantar o lanzar un objeto.

Fútbol - *sustantivo*
Es un juego entre dos equipos. Los jugadores, dando patadas a un balón, han de meterlo en la portería.

Galleta - *sustantivo*
La galleta es un alimento de harina y azúcar cocido en un horno.

Gallina - *sustantivo*
La gallina es un ave de corral.
Es útil porque nos da huevos.

Gallo - *sustantivo*
El gallo es el macho de la gallina. El *gallo* no pone huevos.

Ganar - *verbo*
Ganar es conseguir dinero. *Ganar* es también ser el primero en un juego o una competición.

Gancho - *sustantivo*
Un gancho es un instrumento que sirve para colgar algo.

G

GARABATO

Garabato - *sustantivo*

Un garabato es un dibujo mal hecho.

Garaje - *sustantivo*

Es el sitio donde se guardan y arreglan los coches.

Gas - *sustantivo*

Algunas cocinas y estufas necesitan *gas*
para poder funcionar.

Gasolina - *sustantivo*

La gasolina es un líquido que sirve
para hacer funcionar los motores.

Gato - *sustantivo*

El gato es un animal doméstico. Tiene
una piel muy suave y, en la oscuridad,
le brillan los ojos.

Gaviota - *sustantivo*

La gaviota es un ave que vive en las costas.
Vuela mucho y come peces.

Generoso - *adjetivo*

Una persona es generosa cuando da las cosas
sin pedir nada a cambio.

Gente - *sustantivo*

Grupo de personas. Había mucha *gente* en la plaza.

Gigante - *sustantivo y adjetivo*

Un gigante es una persona muy alta,
como el *gigante* del cuento de Pulgarcito.

Gimnasia - *sustantivo*
La gimnasia consiste en hacer ejercicios físicos. La *gimnasia* es buena para la salud.

Girasol - *sustantivo*
Flor de color amarillo, cuyas semillas se comen o se usan para hacer aceite.

Globo - *sustantivo*
Un globo es una goma que se **hincha** y sirve para jugar.

Golondrina - *sustantivo*
La golondrina es un pájaro de color negro por encima y blanco por debajo, con las alas y la cola puntiagudas.

Golosina - *sustantivo*
Una golosina es un dulce. Un caramelo es una *golosina*. No comas muchas *golosinas*, porque tendrás que ir al dentista.

Golpe - *sustantivo*
Un golpe es el choque de una cosa con otra.

Goma - *sustantivo*

Una goma es una cinta que se estira. La *goma* también es algo que sirve para borrar o para pegar.

Gordo - *adjetivo*

Gordo es lo contrario de delgado.

Gorila - *sustantivo*

El gorila es un animal de la selva. Es un mono muy grande y fuerte.

Gorra - *sustantivo*

La gorra es una prenda que se pone en la cabeza.

Gorrión - *sustantivo*

Un gorrión es un pájaro pequeño. Sus plumas son de color oscuro, con manchas rojas y negras. Seguro que has visto muchos en tu ciudad.

Gota - *sustantivo*

Una gota es una cantidad pequeña, como una lágrima, que se cae de un líquido.

Grande - *adjetivo*

Una cosa es grande cuando su tamaño es mayor de lo normal.

Granja - *sustantivo*

Una granja es una casa de campo en la que se crían animales.

Gratis - *adverbio*

Una cosa es gratis cuando no cuesta nada.

Grifo - *sustantivo*

Un grifo es una llave para abrir
o cerrar la salida del agua.

Grillo - *adjetivo*

Es un insecto que vive en el campo. El *grillo* canta mucho
por las noches y hace

cri cri

Gris - *sustantivo*

El gris es el color que sale al mezclar el negro y el blanco.
La plata es de color *gris*.

Gritar - *verbo*

Gritar es hablar dando voces.

Grúa - *sustantivo*

Una grúa es una máquina
mover grandes pesos.

para levantar y

Grupo - *sustantivo*

Un grupo es un conjunto de personas o de cosas.
Se hicieron varios *grupos* para explorar el campo.

Guante - *sustantivo*

Prenda que se pone en las manos.

Guardar - *verbo*

Guardar es poner una cosa en su sitio.

GUARDIA

Guardia - *sustantivo*
Un guardia es una persona
que se dedica a cuidar y vigilar algo.

Guisante - *sustantivo*
Es una planta que da un fruto alargado
que tiene dentro pequeñas semillas
redondas, verdes y comestibles.

Guisar - *verbo*
Guisar es preparar los alimentos poniéndolos al fuego.

Guitarra - *sustantivo*
Una guitarra es un instrumento de música,
que tiene una caja de madera con un
agujero y seis cuerdas.

Guitarrista - *sustantivo*
Persona que toca la guitarra.

Gusano - *sustantivo*
Es un animal que tiene el cuerpo alargado
y blando. Los *gusanos* se arrastran
por el suelo.

Gusto - *sustantivo*
El gusto es el sabor que tienen las cosas.

H h H H

Habitación - *sustantivo*

Habitación es cada una de las partes de una casa.

Hablar - *verbo*

Hablar es comunicarse por medio de palabras.

Hacer - *verbo*

Es producir o fabricar algo. *Hicieron* un nuevo puente sobre el río.

Hacha - *sustantivo*

El hacha es una herramienta que sirve para cortar cosas a golpes.

Hada - *sustantivo*

Personaje de los cuentos que tiene poderes mágicos y que puede conceder deseos.

HALCÓN

Halcón - *sustantivo*
El halcón es un ave que se alimenta de otras aves más pequeñas y que, a veces, se usa para cazar.

Hamaca - *sustantivo*
Una hamaca es una red o tela que, una vez colgada, sirve de cama. Cuando voy al campo me gusta tumbarme en la *hamaca*.

Hambre - *sustantivo*
Sentir hambre es tener ganas de comer.

Harina - *sustantivo*
La harina es el polvo que sale al moler el trigo u otras semillas. Se usa para hacer pan y dulces.

Hebilla - *sustantivo*
Una hebilla es una pieza de metal que se usa para sujetar correas o cintas.

Helado - *adjetivo y sustantivo*
Algo está helado cuando está muy frío. Un *helado* es un dulce que se toma muy frío.

Helicóptero - *sustantivo*

Es un aparato capaz de despegar y aterrizar verticalmente gracias a una hélice.

Herida - *sustantivo*

Al caerse del columpio se hizo una *herida* en la rodilla.

Hermano/a - *sustantivo*

Persona que tiene los mismos padres que otra.

Hielo - *sustantivo*

El hielo es agua congelada por el frío.

Hierba - *sustantivo*

La hierba son pequeños tallos verdes. Los prados están cubiertos de *hierba*.

Hierro - *sustantivo*

El hierro es un metal. Con el *hierro* se hacen muchas cosas, hasta máquinas de tren.

Hijo/a - *sustantivo*
Los hijos han de obedecer siempre a sus padres.

Hilo - *sustantivo*
Es lo que se usa para coser los vestidos, los botones...

Hipopótamo - *sustantivo*
El hipopótamo es un animal muy grande que vive en los grandes ríos de África.

Hoguera - *sustantivo*
Una hoguera es un fuego que se hace quemando cosas.

Hoja - *sustantivo*
La hoja es la parte de la planta que nace en las ramas o en el tallo. Casi todas las *hojas* son verdes. Una hoja es también una lámina fina de papel. Los libros y los cuadernos tienen varias *hojas*.

Hola - *interjección*
Es una palabra que se emplea para saludar.

Hombre - *sustantivo*
Persona del sexo masculino.
Tu papá es un *hombre*.

Hora - *sustantivo*

Una hora es el tiempo que tarda la aguja larga del reloj en dar una vuelta completa.
El día está dividido en veinticuatro *horas*.

Hormiga - *sustantivo*

La hormiga es un insecto, generalmente de color negro, que vive bajo tierra.

Horno - *sustantivo*

Un horno es un lugar especial donde hace mucho calor. Las cocinas tienen un *horno* pequeño para hacer pasteles y asar alimentos.

Hospital - *sustantivo*

Un hospital es un lugar donde se cuida y cura a los enfermos.

Hoy - *adverbio*

Hoy es el día que está pasando. Mira en un calendario y di qué día es *hoy*.

Hoyo - *sustantivo*

Un hoyo es un agujero   abierto en el suelo.

Hucha - *sustantivo*

Una hucha es una cajita pequeña
que sirve para guardar el dinero.

Hueco - *adjetivo y sustantivo*

Algo está hueco si está vacío por dentro.
Un tubo es *hueco*. Un *hueco* es un agujero.

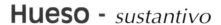

Hueso - *sustantivo*

Nuestro cuerpo se sostiene gracias a los
huesos, piezas que forman el esqueleto.
Un *hueso* es también la parte dura que
hay dentro de algunos frutos.

Huevo - *sustantivo*

Alimento que nos da la gallina y otras aves. Algunos
animales nacen de *huevos*.

Huir - *verbo*

Huir es escapar rápidamente de un sitio.

Humo - *sustantivo*

El humo sale del fuego.
El *humo* no se puede coger con la mano,
se escapa como el aire
y es peligroso.

Iglesia - *sustantivo*
Una iglesia es un edificio. En la *iglesia* se celebran actos religiosos y la gente va allí a rezar.

Igual - *adjetivo*
Dos cosas son iguales cuando tienen la misma forma, el mismo tamaño, etc.

Imán - *sustantivo*
Un imán es un cuerpo que atrae el hierro y otros metales.

Impermeable - *sustantivo*
Un impermeable es una prenda de vestir, hecha con una tela especial que no deja pasar la lluvia.

Incendio - *sustantivo*
Un incendio es un fuego muy grande.

Indio - *sustantivo*

Un indio es una persona que desciende de los primeros pobladores de América. Un *indio* es también una persona de la India.

Insecto - *sustantivo*

Un insecto es un animal pequeño que tiene seis patas. La abeja es un *insecto* con alas, la hormiga es un *insecto* sin alas.

Inundación - *sustantivo*

Una inundación se produce cuando los ríos crecen mucho, y el agua cubre campos y ciudades.

Invento - *sustantivo*

Un invento es el descubrimiento de una cosa nueva.

Invierno - *sustantivo*

El invierno es una estación del año. En algunos sitios, en *invierno* hace frío y nieva.

Ir - *verbo*

Ir es moverse de un lugar a otro.

Isla - *sustantivo*

Una isla es una porción de tierra rodeada de agua por todas partes.

Izquierda - *sustantivo*

La izquierda es la parte de tu cuerpo donde, además de la mano *izquierda*, tienes el corazón.

Jabalí - *sustantivo*

El jabalí es un cerdo salvaje que vive en los bosques.

Jabón - *sustantivo*

Es un producto que se usa para lavar.

Jamón - *sustantivo*

Un jamón es la pata de un cerdo curada.

Jardín - *sustantivo*

Un jardín es un terreno en el que se cultivan plantas con flores.

Jarra - *sustantivo*

Una jarra es una vasija con asa para echar líquidos.

J

JARRÓN

Jarrón - *sustantivo*
Un jarrón es un recipiente que se usa como adorno o para poner flores.

Jaula - *sustantivo*
Una jaula es una caja con barrotes que sirve para tener animales.

Jersey - *sustantivo*
Un jersey es una prenda de vestir de punto, que cubre de los hombros a la cintura.

Jinete - *sustantivo*
Un jinete es una persona que monta a caballo.

Jirafa - *sustantivo*
La jirafa es un animal de África. Tiene un cuello muy largo y las patas delgadas. ¿Has visto alguna en el zoológico?

Joven - *sustantivo y adjetivo*
Joven es una persona de poca edad.

Joya - *sustantivo*
Una joya es un objeto de oro, plata u otro metal, que se usa como adorno.

J

Jueves - *sustantivo*

Es un día de la semana. Va antes del viernes y después del miércoles

Jugar - *verbo*

Jugar es hacer cosas para pasarlo bien. *Jugaron* al fútbol y a las cartas.

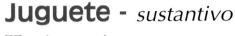

Juguete - *sustantivo*

Un juguete es una cosa que sirve para jugar. Un triciclo es un *juguete.*

Julio - *sustantivo*

Julio es el séptimo mes del año.

Junio - *sustantivo*

Junio es el sexto mes del año.

Juntar - *verbo*

Juntar es unir unas cosas con otras. Luis y Ana suelen *juntar* su dinero para comprar cosas.

Justicia - *sustantivo*

Justicia es aquello que hace que actuemos correctamente, dando a cada uno lo que se merece.

Kilo - *sustantivo*
Es una medida de peso. ¿Sabes que equivale a 2,2 libras?

Kilómetro - *sustantivo*
Es una medida de longitud. ¿Sabes que equivale a 0,6 millas?

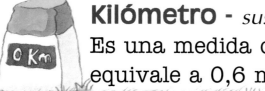

Kimono - *sustantivo*
Un kimono es una prenda de vestir que usan las mujeres japonesas.

Kiosco - *sustantivo*
Un kiosco es un sitio donde se venden periódicos, revistas, golosinas, helados, etc.

K

Labio - *sustantivo*

Los labios son la parte exterior de la boca.

Ladrido - *sustantivo*

El ladrido es la voz del perro.

Ladrillo - *sustantivo*

Un ladrillo es una pieza
de barro cocido. Algunas casas
están hechas con *ladrillos*.

Ladrón - *adjetivo*

Persona que toma lo
que no es suyo.

Lagarto - *sustantivo*

El lagarto es un reptil que se alimenta de insectos.

LAGO

Lago - *sustantivo*

Un lago es una extensión grande de agua dulce, rodeada de tierra por todas partes.

Lágrima - *sustantivo*

Las lágrimas son las gotas de agua salada que nos caen de los ojos cuando estamos tristes.

Lámpara - *sustantivo*

Una lámpara es un objeto que sirve para dar luz.

Lana - *sustantivo*

La lana es el pelo de las ovejas y de otros animales parecidos. La *lana* se usa para hacer prendas de vestir, mantas, etc.

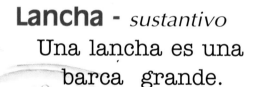

Lancha - *sustantivo*

Una lancha es una barca grande.

Lanza - *sustantivo*

Una lanza es un palo largo con una punta al final.

Lápiz - *sustantivo*

Un lápiz sirve para escribir y dibujar.

Largo - *adjetivo*

Largo es lo contrario de corto.

Lata - *sustantivo*

Una lata es un bote para meter cosas.

Látigo - *sustantivo*

Un látigo es una correa larga
y flexible, de cuero o cuerda,
que se usa para domar las fieras.

Lavabo - *sustantivo*

El lavabo es un recipiente con grifos que sirve
para lavarse la cara y las manos.

Lavar - *verbo*

Lavar es quitar
la suciedad de una cosa
con agua y jabón.

Lazo - *sustantivo*

Un lazo es un nudo que sirve de adorno. La caja que le
regalaron tenía un *lazo* rojo.

Leche - *sustantivo*

La leche es un líquido blanco
que dan las vacas y otros animales. La *leche* es un alimento
muy   bueno.

Lechuga - *sustantivo*

La lechuga es una planta cuyas
hojas se comen en ensalada.

LEER

Leer - *verbo*
Leer es entender lo que dice
un escrito pasando la vista por él.

Lejos - *adverbio*
Una cosa está lejos cuando está a mucha distancia.

Lengua - *sustantivo*
La lengua está dentro de la boca.
Sirve para conocer el sabor de los alimentos y para articular los sonidos.

Leña - *sustantivo*
La leña es madera para la lumbre.

León - *sustantivo*
El león es un animal muy grande.
Es el rey de la selva.

Letra - *sustantivo*
Las letras son los signos que representan los sonidos de un idioma.

Levantar - *verbo*
Levantar es mover
una cosa de abajo
hacia arriba.

Libreta - *sustantivo*
Libreta es el cuaderno pequeño
donde apuntas tus cosas.

Libro - *sustantivo*
Un libro es un conjunto de hojas
de papel escritas y encuadernadas.

Liebre - *sustantivo*
La liebre es un animal,
muy parecido al conejo, que vive
en el monte. La *liebre* es muy veloz.

Limón - *sustantivo*
El limón es una fruta de sabor agrio.
La corteza del *limón* es amarilla.

Limonada - *sustantivo*
La limonada es una bebida  hecha con agua,
azúcar y zumo de limón.

Limpiar - *verbo*
Limpiar es quitar la suciedad
de una cosa.

Limpio - *adjetivo*
Está limpio lo que no tiene
manchas ni suciedad.

Línea - *sustantivo*
Una línea es una raya.

Linterna - *sustantivo*
Una linterna es un aparato
que sirve para dar luz
y que puede llevarse en la mano.

LÍQUIDO

Líquido - *sustantivo*
Una cosa es un líquido cuando está como el agua. La leche es un *líquido*.

Liso - *adjetivo*
Una cosa es lisa cuando no tiene arrugas. Cuando planchamos una tela, queda *lisa*.

Listo - *adjetivo*
Una persona es lista cuando comprende y aprende las cosas con rapidez.

Llama - *sustantivo*
Las llamas son la forma del fuego. Una *llama* es un animal, parecido a un camello pequeño, que vive en América del Sur.

Llamar - *verbo*
Llamar es dar voces a alguien para que nos atienda. *Llamar* es también tocar un timbre para que alguien abra la puerta.

Llave - *sustantivo*
Una llave sirve para abrir y cerrar las cerraduras. Una *llave* es también un instrumento que sirve para apretar y aflojar las tuercas.

Llavero - *sustantivo*
Un llavero es un utensilio donde se guardan y llevan las llaves.

Llegar - *verbo*

Llegar es ir a parar a algún sitio.
Llegaron tarde al cine.

Lleno - *adjetivo*

Algo está lleno si no cabe nada más.
El autobús iba *lleno* y no paró.

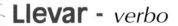

Llevar - *verbo*

Llevar es trasladar una cosa de una parte
a otra.

Llorar - *verbo*

Llorar es echar lágrimas.

Lluvia - *sustantivo*

La lluvia es agua que cae de las nubes.

Lobo - *sustantivo*

Un lobo es un animal salvaje,
parecido a un perro grande,
que vive en libertad.

Lombriz - *sustantivo*

La lombriz es un gusano que vive en
terrenos húmedos.
A menudo se utiliza como cebo para
pescar.

Loro - *sustantivo*

El loro es un ave que tiene las plumas de
colores. Los *loros* imitan la voz humana.

LOTERÍA

Lotería - *sustantivo*
La lotería es un juego de suerte en el que se premian los números de los billetes ganadores.

Lucha - *sustantivo*
Una lucha es una pelea.

Lumbre - *sustantivo*
La lumbre es un fuego encendido para cocinar, calentarse, etc.

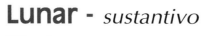

Luna - *sustantivo*
La Luna es el satélite de la Tierra. Vemos la *Luna* cuando es de noche.

Lunar - *sustantivo*
Un lunar es una pequeña mancha que tienen algunas personas en la piel.

Lunes - *sustantivo*
El lunes es un día de la semana. Va después del domingo.

Lupa - *sustantivo*
Una lupa es un cristal grueso que aumenta el tamaño de las cosas.

Luz - *sustantivo*
La luz es lo que nos deja ver las cosas. Por el día hay *luz* del Sol, por la noche necesitamos *luz* eléctrica.

Maceta - *sustantivo*

Una maceta es un recipiente donde se cultivan plantas.

Madera - *sustantivo*

La madera es la materia de la que están hechos algunos muebles y que se saca del tronco de los árboles.

Madre - *sustantivo*

Una madre es una mujer que ha tenido hijos. A la *madre*, cariñosamente, se le llama *mamá*.

Maestro/a - *sustantivo*

Es la persona que enseña cosas para que los demás aprendan.

Maíz - *sustantivo*

El maíz es una planta que produce unos granos amarillos comestibles. El *maíz* está muy bueno en ensalada.

MAL

Mal - *adverbio*
Una cosa está mal cuando no es correcta. *Mal* es lo contrario de bien.

Maleta - *sustantivo*
Las maletas sirven para llevar ropa y otras cosas cuando se va de viaje.

Malo - *adjetivo*
Una cosa mala es aquella que hace daño o que se ha estropeado. Una persona es *mala* cuando no hace lo que debe. Estar *malo* es también estar enfermo.

Mancha - *sustantivo*
Una mancha es una señal de suciedad. Un borrón de tinta es una *mancha.*

Mandar - *verbo*
Mandar es decir a alguien lo que tiene que hacer. *Mandar* es también enviar algo.

Mano - *sustantivo*
La mano es la parte del cuerpo que está al final del brazo. Las personas tenemos dos *manos.*

Manta - *sustantivo*
En invierno se ponen *mantas* en la cama para no tener frío.

Mantel - *sustantivo*
Un mantel es una pieza de tela con la que se cubre la mesa durante la comida para que no se ensucie.

M

Manzana - *sustantivo*

La manzana es el fruto del manzano. Hay *manzanas* verdes, rojas y amarillas.

Mañana - *adverbio y sustantivo*

Mañana es el día siguiente al de hoy. Hoy es sábado, *mañana* será domingo. La mañana es la parte del día hasta la hora de la comida.

Mapa - *sustantivo*

Un mapa es un dibujo del mundo o de una de sus partes.

Máquina - *sustantivo*

Una máquina es un instrumento que sirve para hacer un trabajo.

Mar - *sustantivo*

El mar es una extensión muy grande de agua. El agua del *mar* es salada.

Marioneta - *sustantivo*

Una marioneta es un muñeco que se mueve al tirar de unos hilos que tiene atados.

Mariposa - *sustantivo*

Una mariposa es un insecto con alas grandes y de colores muy bonitos.

Marrón - *adjetivo*

Es el color de la cáscara de las castañas.

M

Martes - *sustantivo*
Martes es el día de la semana que sigue al lunes.

Martillo - *sustantivo*
Un martillo tiene un mango
de madera y una cabeza de hierro.
Se usa para golpear y clavar algo.

Marzo - *sustantivo*
Marzo es el tercer mes del año.

Mayo - *sustantivo*
Mayo es el quinto mes del año.

Medalla - *sustantivo*
Es un trozo de metal que lleva
grabado alguna imagen.

Médico - *sustantivo*
El médico es la persona que se
dedica a curar a los enfermos.

Melocotón - *sustantivo*
El melocotón es el fruto que da
un árbol llamado melocotonero.

Melón - *sustantivo*
El melón es un fruto cuya cáscara es verde o
amarilla y puede tener forma picuda o redonda.

Mentira - *sustantivo*
Decir una mentira es no decir la verdad para
engañar a alguien.

M

Mercado - *sustantivo*

Un mercado es un lugar
donde se venden y compran cosas.

Merienda - *sustantivo*

Merienda es la comida ligera
que se hace a media tarde.

Mermelada - *sustantivo*

La mermelada es una conserva dulce que se hace con frutas y azúcar.

Mes - *sustantivo*

Mes es cada una de las doce partes en que se divide el año.
Los *meses* del año son: enero, febrero, marzo, abril, mayo,
junio, julio, agosto, septiembre, octubre,
noviembre y diciembre.

Mesa - *sustantivo*

Mueble compuesto por una tabla sostenida por patas
que sirve para comer, escribir y otros usos.

Metal - *sustantivo*

Es un material brillante que sirve para fabricar muchos
objetos. El hierro, la plata y el oro *son metales*.

Metro - *sustantivo*

Un metro es una medida de longitud. Un *metro* es
también un tren que va por debajo de tierra
en las grandes
ciudades.

M

MEZCLAR

Mezclar - *verbo*
Mezclar es juntar una cosa con otra.

Miel - *sustantivo*
La miel es una sustancia dulce que fabrican las abejas.

Miércoles - *sustantivo*
El miércoles es el día de la semana que sigue al martes.

Mina - *sustantivo*
Una mina es un pozo hecho
en la tierra para sacar minerales.
La parte del lápiz con la que escribes
también se llama *mina*.

Mineral - *sustantivo*
Roca que se saca de la tierra y que tiene distintos
usos. El carbón es un *mineral*, el diamante también.

Minuto - *sustantivo*
Un minuto es cada una de las sesenta partes en que se divide una hora.

Mirar - *verbo*
Mirar es dirigir los ojos hacia alguna parte.

Mitad - *sustantivo*
Si haces dos partes iguales de una cosa,
cada una de ellas es una mitad.

Moler - *verbo*
Moler es convertir una cosa en polvo.
La harina es trigo *molido*.

M

Molino - *sustantivo*

Un molino es un sitio en el que se muele
el trigo para fabricar harina.

Moneda - *sustantivo*

Una moneda es un trozo de metal con valor
para poder comprar cosas.

Mono - *sustantivo*

Un mono es un animal que vive en la selva. Los *monos* tienen el cuerpo cubierto de pelo, y algunos viven
en los árboles. El chimpancé es un *mono*.

Montaña - *sustantivo*

Es una elevación muy grande
de la Tierra.

Morado - *adjetivo*

El morado es el color que sale al mezclar el rojo y el azul.
Mi madre me compró un pantalón *morado*.

Morder - *verbo*

Morder es clavar los dientes en una cosa. Si
entras en el jardín, te puede *morder* el perro.

Moreno - *adjetivo*

De color oscuro. Mi amigo
tiene el pelo *moreno.*

Mosca - *sustantivo*

La mosca es un pequeño insecto volador
que en verano molesta un montón.

M

Mosquito - *sustantivo*

El mosquito es un insecto volador, más pequeño que la mosca, pero más peligroso... ¡Te puede picar!

Motocicleta - *sustantivo*

Una motocicleta es un vehículo de dos ruedas, parecido a la bicicleta, movido por un motor. Hay *motocicletas* muy grandes y potentes. No debes olvidar que *moto* es la forma abreviada de *motocicleta*.

Motor - *sustantivo*

Un motor es un mecanismo que puede mover una cosa.

Mucho - *adjetivo*

Hay mucho de algo cuando hay una gran cantidad. Había *muchos* pasteles en la mesa.

Mudo - *adjetivo*

Persona que no puede hablar.

Mueble - *sustantivo*

Un mueble es un objeto que tenemos en casa para nuestra comodidad o adorno. Las mesas, las sillas, las camas, etc., son *muebles*.

Muela - *sustantivo*

Las muelas son los dientes que sirven para masticar los alimentos.

Muelle - *sustantivo*

Un muelle es un hilo de metal enrollado en forma de espiral que se estira y se encoge.

Muerte - *sustantivo*

La muerte es el fin de la vida.

Mugido - *sustantivo*

El mugido es la voz de las vacas y de los toros.

Mujer - *sustantivo*

Persona del sexo femenino. Tu mamá es una *mujer.*

Mundo - *sustantivo*

Mundo es el conjunto de todo lo que existe. También se llama *mundo* al planeta Tierra.

Muñeca - *sustantivo*

La muñeca es la parte de nuestro cuerpo que une la mano con el brazo. Una *muñeca* es un juguete con forma de niña. Si tiene forma de niño es un muñeco.

Muralla - *sustantivo*

Una muralla es un muro alto y grueso que rodea un lugar para defenderlo.

Museo - *sustantivo*

Un museo es un edificio en el que se guardan y muestran cuadros, esculturas y otros objetos de mucha importancia. Fuimos a visitar un *museo* de pintura.

Música - *sustantivo*

La música es el arte de expresar los sentimientos por medio de sonidos.

M

Nacer - *verbo*

Nacer es venir al mundo al salir del vientre de mamá. También *nace* un pollito cuando sale del huevo y una planta de su semilla.

Nadar - *verbo*

Nadar es avanzar por el agua flotando, ayudándose de las manos y de los pies.

Naranja - *sustantivo y adjetivo*

La naranja es el fruto del naranjo. Tiene corteza rugosa y, por dentro, gajos de sabor agridulce. El *naranja* es el color que tiene una *naranja* madura.

Nariz - *sustantivo*

La nariz es la parte de la cara que está entre la frente y la boca. La *nariz* nos sirve para respirar y para reconocer el olor de las cosas.

Naturaleza - *sustantivo*

Naturaleza es todo aquello que
nos rodea y que debemos cuidar.

Navegar - *verbo*

Navegar es viajar por el mar en un barco.

Navidad - *sustantivo*

En Navidad se celebra el nacimiento del Niño Jesús.

Negro - *adjetivo*

El negro es un color. Es el color de la noche.

Nene/a - *sustantivo*

Un nene es un niño pequeñito. Un bebé es un *nene*.

Nevar - *verbo*

Nevar es caer nieve del cielo. Por Navidad,
en algunos países *nieva* mucho.

Nido - *sustantivo*

Los nidos son las casas que hacen
las aves con palitos, plumas y hojas
para poner sus huevos.

Nieve - *sustantivo*

La nieve es agua helada que cae del
cielo en forma de copos blancos.

Niño/a - *sustantivo*

Un niño es una persona que tiene
pocos años. A los *niños* les gusta
jugar.

N

NOCHE

Noche - *sustantivo*

La noche es la parte del día en que no hay sol.
Por la *noche* tú puedes ver en el cielo la Luna y las estrellas

Nombre - *sustantivo*

Nombre es la palabra con que llamamos a las personas,
los animales y las cosas, para distinguirlos
de los demás. Juan, tigre y pera son *nombres*.

Norte - *sustantivo*

El Norte es uno de los cuatro puntos cardinales.

Noviembre - *sustantivo*

Noviembre es el penúltimo mes del año.

Nube - *sustantivo*

Las nubes son como trozos de algodón que hay por el cielo.
Están formadas por gran cantidad de vapor de agua.

Nudo - *sustantivo*

Un nudo es un lazo difícil de soltar.

Nueve - *adjetivo*

El nueve es un número. Va después del ocho y antes del diez

Nuevo - *adjetivo*

Una cosa es nueva cuando no ha sido usada antes.

Nuez - *sustantivo*

La nuez es un fruto que da un árbol llamado nogal.
Las *nueces* tienen una cáscara muy dura.

Número - *sustantivo*

Un número es un signo que representa una cantidad.

N

Ñame - *sustantivo*
Planta tropical cuya raíz se come cocida o asada.

Ñandú - *sustantivo*
El ñandú es una avestruz típica de
América del Sur.

Ñoño - *adjetivo*
Una cosa ñoña es una cosa sin gracia.
Ese chiste era una *ñoñería*.

Ñu - *sustantivo*
El ñu es un animal típico de África del Sur.

Obedecer - *verbo*

Obedecer es hacer lo que otra persona manda.

Objeto - *sustantivo*

Los objetos son cosas. Una botella, unas tijeras, un lápiz, etc., son *objetos*.

Ocho - *adjetivo*

El ocho es un número. Va después del siete y antes del nueve.

Octubre - *sustantivo*

Octubre es el décimo mes del año.

Oeste - *sustantivo*

El Oeste es uno de los cuatro puntos cardinales. Si estamos cara al Norte, el *Oeste* queda del lado izquierdo.

Oído - *sustantivo*

El oído nos sirve para oír los sonidos.

Oír - *verbo*

Oír es escuchar los sonidos.

Ojo - *sustantivo*

Los ojos nos sirven para ver.
Tenemos dos *ojos*, que están en la cara.

Ola - *sustantivo*

Una ola es una onda muy grande
que se forma en la superficie del mar.

Oler - *verbo*

Oler es sentir y reconocer los olores.

Olla - *sustantivo*

Recipiente de barro o metal con asas,
que sirve para cocer los alimentos.

Olor - *sustantivo*

No todas las cosas huelen igual.
Nosotros conocemos los olores por la
nariz. Le gusta el *olor* del café.

Onda - *sustantivo*

Una onda es una porción de agua que se eleva sobre la
superficie del mar, de un río o de un lago.

Oreja - *sustantivo*

La oreja es la parte exterior del oído.
Tenemos una *oreja* a cada lado de la cabeza.

Orilla - *sustantivo*

Orilla es el borde de una cosa.
La *orilla* del mar, de un río,
de un lago, etc. es la parte
de tierra que está tocando el agua.

Oro - *sustantivo*

El oro es un metal. Es de color amarillo y muy valioso, y se emplea para hacer joyas.

Oscuro - *adjetivo*

Un color oscuro es un color casi negro. Un lugar *oscuro* es donde no hay luz. Cuando es de noche, todo está *oscuro*.

Oso - *sustantivo*

Un oso es un animal grande que tiene el cuerpo cubierto de pelo.

Otoño - *sustantivo*

El otoño es la estación del año que sigue al verano.

Oveja - *sustantivo*

La oveja es un animal doméstico que nos da lana, leche y carne.

Padre - *sustantivo*
Un padre es un hombre que ha tenido hijos.
Al *padre*, cariñosamente, se le llama *papá*.

Página - *sustantivo*
Una página es cada una de las dos caras de las hojas de un libro, un periódico, un cuaderno, etc.

Pájaro - *sustantivo*
Un pájaro es un ave pequeña.
El gorrión es un *pájaro*.

Pala - *sustantivo*
Una pala es una herramienta que sirve para mover la tierra, para echar carbón, etc.

Palabra - *sustantivo*
Una palabra es un conjunto de letras que quiere decir algo.
«Comida» es una *palabra*.

PALMERA

Palmera - *sustantivo*

La palmera es un árbol muy alto,
con hojas verdes y puntiagudas,
típico de los lugares donde hace calor.

Paloma - *sustantivo*

La paloma es un ave que puede estar volando
mucho tiempo sin descanso. Seguro que en alguna
plaza de tu ciudad hay *palomas*.

Pan - *sustantivo*

El pan es una masa de harina, agua, sal y levadura, cocida
en un horno. Es uno de nuestros alimentos más importantes.

Panadería - *sustantivo*

Una panadería es un lugar donde se hace o se vende pan.

Pantalón - *sustantivo*

El pantalón es una prenda de vestir usada por las mujeres
y los hombres para cubrirse de la cintura hasta los tobillos,
cada pierna por separado. También hay *pantalones* cortos.

Pañuelo - *sustantivo*

Un pañuelo es un trozo de tela o papel suave que sirve para
limpiarse la nariz.

Papel - *sustantivo*

El papel se utiliza para muchas cosas,
pero sobre todo para escribir y dibujar.

Papelera - *sustantivo*

Una papelera es un recipiente para echar los papeles que
no sirven.

Paquete - *sustantivo*
Cuando envolvemos bien una cosa, hacemos un *paquete.*

Par - *sustantivo*
Un par son dos cosas iguales de algo.
Necesita un *par* de zapatos nuevos.

Paracaídas - *sustantivo*
Un paracaídas es un trozo grande de tela,
de forma redonda y atada con cuerdas,
que sirve para lanzarse desde un avión.

Paraguas - *sustantivo*
Un paraguas es una especie de bastón con unas varillas de
metal a las que se sujeta un trozo de
tela impermeable. Con el *paraguas*
nos protegemos de la lluvia.

Parar - *verbo*
Parar es dejar de moverse una cosa. *Paró* el
coche delante de casa. Parar es también dejar
de hacer algo. *Paró* de jugar para merendar.

Pararrayos - *sustantivo*
El pararrayos es una varilla de metal
que atrae los rayos de las tormentas.

Pared - *sustantivo*
Las paredes dividen las casas por dentro
en habitaciones.

Parque - *sustantivo*
Un parque es un jardín grande con muchos árboles.

PARRA

Parra - *sustantivo*

La parra es una vid alta que da uvas.

Parte - *sustantivo*

Una parte es un trozo de una cosa.
Juan y María tomaron su *parte* del pastel.

Pasear - *verbo*

Pasear es ir andando sin prisa.

Pastel - *sustantivo*

Un pastel es un dulce hecho con harina, azúcar, chocolate, nata u otras cosas.

Pastor - *sustantivo*

Un pastor es una persona que cuida el ganado en el campo.

Pata - *sustantivo*

Pata es el pie y la pierna de los animales. También llamamos *patas* a los pies de las sillas, mesas y otros muebles y objetos.

Patata - *sustantivo*

La patata es una planta que tiene unas raíces comestibles.
En algunos lugares también se le llama papa.

Patín - *sustantivo*

Con unos *patines* en tus pies puedes deslizarte a gran velocidad.

Patio - *sustantivo*

Dentro de algunos edificios hay un espacio cerrado con paredes, pero descubierto por arriba, que se llama *patio.*

Pato - *sustantivo*

Un pato es un ave que nada muy bien, pero que anda y vuela con dificultad.

Patria - *sustantivo*

La patria es el país en el que se ha nacido.

Pavo - *sustantivo*

El pavo es un ave de la familia de las gallinas, pero más grande que éstas. El **pavo real** tiene un bonito plumaje y una cola muy larga, que se abre en forma de abanico.

Payaso - *sustantivo*

Un payaso es una persona que trabaja en el circo haciendo reír a la gente.

Pedir - *verbo*

Pedir es rogar a alguien que dé o haga alguna cosa. Ana le *pidió* el lápiz a su amigo.

Pegar - *verbo*

Pegar es unir una cosa con otra. *Pegar* es también dar golpes.

Peine - *sustantivo*

Un peine es un objeto que sirve para desenredar y arreglar el pelo.

Película - *sustantivo*

Una película es una historia contada por medio de imágenes y sonido. Fueron al cine a ver una *película* de aventuras.

Pelo - *sustantivo*

El pelo crece en la piel de las personas y de algunos animales.
También llamamos *pelo* al cabello que cubre la cabeza de las personas.

Pelota - *sustantivo*

Una pelota es una bola redonda que sirve para jugar.

Pendiente - *sustantivo*

Un pendiente es un adorno que se pone en las orejas.

Pensar - *verbo*

Pensar es reflexionar sobre algo.

Pequeño - *adjetivo*

Una cosa es pequeña si es de poco tamaño. En esa caja no caben los libros, es muy *pequeña.* Una persona es pequeña si tiene poca estatura o poca edad. Mi hermana es *pequeña* para ir al colegio.

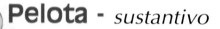

Pera - *sustantivo*

La pera es el fruto del peral. Hay muchas clases de *peras.*

Perder - *verbo*

Perder es quedarse sin algo que se tenía. *Perdió* el dinero y no pudo comprar el cuaderno. Perderse es no saber dónde estamos. *Se perdió* en el bosque y tuvieron que ir a buscarle. Perder es también lo contrario de ganar. El equipo que *perdió* estaba muy triste.

Perezoso - *adjetivo*

Es perezoso el que tarda mucho en hacer lo que debe. Luis es *perezoso* para estudiar.

Periódico - *sustantivo*

Un periódico son unas hojas grandes donde vienen impresas las noticias de cada día.

Perla - *sustantivo*

Las perlas son bolitas brillantes de gran valor que hay dentro de algunas ostras.

Perro - *sustantivo*

El perro es un animal doméstico. Los *perros* pueden oler a gran distancia y son muy inteligentes.

Persiana - *sustantivo*

Las persianas están hechas de pequeñas tablas de madera o de plástico, y se colocan en las ventanas para que no entre la luz.

Persona - *sustantivo*

Una persona es un ser humano.

Pesado - *adjetivo*

Es pesado lo que tiene mucho peso. La ballena es el animal marino más *pesado*, mientras que el elefante es el más *pesado* de los animales terrestres.

Pescado - *sustantivo*

Se llama pescado a todo pez comestible.
La sardina es un *pescado.*

Pescar - *verbo*

Pescar es sacar peces del agua.

Peso - *sustantivo*

Son los kilos que pesa una persona o cosa. Lo podemos saber utilizando una báscula.

Pez - *sustantivo*

El pez es un animal que sólo puede vivir en el agua. Hay *peces* de mar, como la sardina, y *peces* de río, como la trucha.

Piano - *sustantivo*

El piano es un instrumento de música que tiene teclas y cuerdas.

Pico - *sustantivo*

El pico es la nariz y la boca de las aves.

Pie - *sustantivo*

El pie es la parte de nuestro cuerpo que está al final de la pierna. Las personas tenemos dos *pies*, que nos sirven para apoyarnos al andar.

Piedra - *sustantivo*

Una piedra es un trozo de roca dura.

Piel - *sustantivo*

La piel es lo que cubre el cuerpo de los animales y de las personas.

Pierna - *sustantivo*

Las piernas son la parte de nuestro cuerpo que utilizamos para andar.

Pincel - *sustantivo*

Un pincel es un instrumento que sirve para pintar.

Pingüino - *sustantivo*

El pingüino es un ave que no puede volar y que vive en las costas heladas de los polos.

Pino - *sustantivo*

El pino es un árbol muy alto con hojas en forma de agujas. Los *pinos* dan piñas y piñones.

Pintar - *verbo*

Pintar es dar color a una cosa.

Piscina - *sustantivo*

Una piscina es un lugar grande, lleno de agua, que sirve para bañarse o para nadar.

PIZARRA

Pizarra - *sustantivo*

Una pizarra es una superficie lisa de color oscuro que hay en las clases y sobre la que escribimos con tiza.

Plancha - *sustantivo*

Una plancha es un aparato que, cuando está caliente, sirve para quitar las arrugas de la ropa.

Planchar - *verbo*

Planchar es dejar lisa la ropa que estaba arrugada, pasando una plancha por encima de ella.

Planeta - *sustantivo*

Un planeta es un cuerpo del espacio que gira alrededor del Sol. La Tierra es un *planeta*.

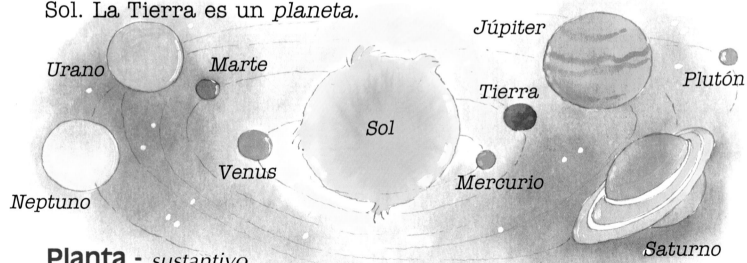

Planta - *sustantivo*

Una planta es un vegetal que crece en la tierra. Un árbol es una *planta* grande, el trébol es una *planta* pequeña.

Plata - *sustantivo*

Es un metal de color gris que se usa para hacer joyas y otros objetos. En algunos países también significa dinero.

Plátano - *sustantivo*

El plátano es una fruta, alargada y blanda,
de agradable sabor.

Plato - *sustantivo*

Un plato es un recipiente casi plano
que se utiliza para comer.

Playa - *sustantivo*

Una playa es un lugar a la orilla del mar donde tomamos el
sol en verano.

Plaza - *sustantivo*

Una plaza es un lugar
al que van a parar varias calles.
¿Conoces alguna *plaza* importante
en tu ciudad?

Pluma - *sustantivo*

Las plumas cubren el cuerpo de las aves.   Una *pluma*
es un instrumento que sirve para escribir.

Pobre - *adjetivo*

Un pobre es una persona que tiene
muy poco para vivir.

Policía - *sustantivo*

Conjunto de personas encargadas de nuestra
seguridad.

Pollo - *sustantivo*

Los pollos son los hijos pequeños de la gallina.

Polo - *sustantivo*

El Polo es el extremo de la Tierra. Hay dos Polos, uno al Norte y otro al Sur. Un *polo* es también un tipo de helado.

Poner - *verbo*

Poner es colocar una cosa en un lugar. Juan *puso* las flores en el jarrón.

Poste - *sustantivo*

Un poste es un madero largo.

Pozo - *sustantivo*

Un pozo es un hoyo profundo cavado en la tierra. Los *pozos* se hacen para sacar agua.

Prado - *sustantivo*

Un prado es una extensión de tierra cubierta de hierba. Llevaron las vacas al *prado*.

Precio - *sustantivo*

Es el dinero que hay que pagar por una cosa.

P

Prenda - *sustantivo*

Cada una de las partes que forman el vestido de las personas. Una falda, un pantalón, una bufanda, etc., son *prendas*.

bañador

tirantes

traje

impermeable

capa

falda

bata

chándal

vestido

chaqueta de abrigo

boina

zapatilla

camisa

guantes

chaleco

jersey

pantalón bombacho

calcetín

bufanda

botas

123

P

PRIMAVERA

Primavera - *sustantivo*
La primavera es la estación del año que va después del invierno.

Primo/a - *sustantivo*
Tu primo es el hijo de una tía o un tío tuyo.

Pueblo - *sustantivo*
Un pueblo es una ciudad pequeña.

Puente - *sustantivo*
Un puente es una construcción hecha sobre un río para pasar de una orilla a otra.

Puerta - *sustantivo*
La puerta es un espacio abierto que hay en las paredes de las casas para entrar y salir.

Puerto - *sustantivo*
Un puerto es el lugar de la costa donde llegan los barcos.

Pulpo - *sustantivo*
El pulpo es un animal parecido al calamar, con ocho brazos o tentáculos, que vive en el fondo del mar.

Pulsera - *sustantivo*
Una pulsera es un adorno que se lleva en la muñeca.

Punta - *sustantivo*

Se llama punta al extremo de una cosa.
Recorrió la calle de *punta* a *punta*.
El extremo afilado de un objeto también se
llama punta. Se me ha roto la *punta* del lápiz.

Punto - *sustantivo*

Un punto es un signo que se pone cuando se acaba una frase. Los cuatro *puntos* en que se divide una brújula, Norte, Sur, Este y Oeste, sirven para orientarnos y se llaman puntos cardinales.

Pupitre - *sustantivo*

Los pupitres son las mesas que hay en las escuelas.

Puré - *sustantivo*

El puré es una pasta que se hace
con alimentos cocidos y
pasados por el colador.

Quemar - *verbo*

Quemar es prender fuego a una cosa.

Querer - *verbo*

Querer es tener cariño a una persona o cosa.
Los padres *quieren* mucho a sus hijos.
Querer es también desear tener o hacer algo. Juan *quería* un reloj nuevo.

Queso - *sustantivo*

El queso es un alimento hecho con leche.

Quieto - *adjetivo*

Estar quieto es no moverse.

Quitar - *verbo*

Quitar es eliminar algo. *Quitó* los patines del pasillo porque molestaban.

Rabo - *sustantivo*

El rabo es una parte del cuerpo de muchos animales. Las vacas lo utilizan para espantar las moscas.

Radio - *sustantivo*

La radio es un aparato que sirve para escuchar sonidos realizados a mucha distancia. En la *radio* podemos escuchar música, noticias, concursos, etc.

Raíz - *sustantivo*

La raíz es la parte de los vegetales que está bajo tierra. Sirve para alimentar y sujetar las plantas.

Rama - *sustantivo*

Es la parte de los árboles en la que crecen las hojas, las flores y los frutos.

Rana - *sustantivo*

La rana es un animal que puede vivir en el agua y en la tierra. Las *ranas* se alimentan de insectos.

Rápido - *adjetivo*

Persona, animal o cosa que va deprisa.

R

RAQUETA

Raqueta - *sustantivo*

Una raqueta es un utensilio que se usa
para jugar al tenis y a otros juegos.

Rascacielos - *sustantivo*

Un rascacielos es un edificio muy alto que tiene muchos
pisos. En Nueva York hay muchos *rascacielos*.

Rascar - *verbo*

Rascar es frotar algo, normalmente con las uñas.

Ratón - *sustantivo*

El ratón es un animalito que utiliza
sus dientes para mordisquear las cosas. Puede vivir
en la ciudad y en el campo.

Raya - *sustantivo*

Una raya es una marca larga y estrecha.
Se compró una camisa de *rayas*.

Rayo - *sustantivo*

Un rayo es una descarga eléctrica que se produce en
las tormentas al chocar dos nubes.

Raza - *sustantivo*

Cada uno de los grupos en que se dividen las personas
por el color de su piel. La amarilla, la negra y la blanca
son las *razas* más numerosas.

Rebaño - *sustantivo*

Un rebaño es un conjunto de animales de la misma clase.
Cuando fuimos al monte
vimos un *rebaño* de ovejas.

R

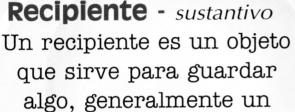

Recipiente - *sustantivo*

Un recipiente es un objeto que sirve para guardar algo, generalmente un líquido. Un vaso es un *recipiente*.

Recoger - *verbo*

Recoger es guardar una cosa en su sitio. Ha *recogido* su ropa antes de marchar. Recoger es también levantar una cosa que se ha caído.

Reconocer - *verbo*

Es conocer algo o a alguien cuando lo ves por segunda vez.

Red - *sustantivo*

Una red está hecha de cuerdas entrelazadas y se utiliza para pescar o cazar.

Redondo - *adjetivo*

Una cosa es redonda cuando tiene la forma de una pelota. La Tierra es *redonda*, un aro también es *redondo*.

Refresco - *sustantivo*

Un refresco es una bebida que se toma fría.

Regalo - *sustantivo*

Un regalo es una cosa que se da sin esperar nada a cambio. Aunque no aprobó, su papá le hizo el *regalo* que él tanto quería.

Regla - *sustantivo*

Una regla es un trozo de madera, metal o plástico que sirve para medir y hacer líneas rectas.

Reina - *sustantivo*

Mujer que manda en un reino. *Reina* es también la esposa del rey.

R

Reino - *sustantivo*

Un reino es un territorio en el que manda un rey o una reina.

Reír - *verbo*

Reír es hacer gestos y sonidos para manifestar alegría. Es lo contrario de llorar.

Reja - *sustantivo*

Las rejas son barras de hierro que se ponen delante de las ventanas, puertas, etc., para impedir el paso.

Reloj - *sustantivo*

Un reloj es un aparato que mide el tiempo.

Remo - *sustantivo*

Un remo es un instrumento de madera que sirve para mover una barca, un bote, etc.

Reñir - *verbo*

Reñir con una persona es enfadarse con ella. *Reñir* es también decir seriamente a alguien que ha hecho mal una cosa.

Reptil - *sustantivo*

Animal que camina arrastrándose por la tierra. La serpiente es un *reptil*.

Resbalar - *verbo*

Resbalar es deslizarse por un sitio. *Resbalé* en la calle y me caí.

Responder - *verbo*

Responder es contestar a una pregunta.

R

ROJO

Restaurante - *sustantivo*

Un restaurante es un lugar donde sirven comidas.

Retrato - *sustantivo*

Un retrato es la fotografía, el dibujo o la pintura de la cara de una persona.

Rey - *sustantivo*

Un rey es un hombre que manda en un reino.

Rico - *adjetivo*

Una persona *rica* es aquella que tiene mucho dinero. Una cosa está *rica* cuando tiene un sabor que nos gusta.

Rinoceronte - *sustantivo*

El rinoceronte es un animal muy grande y fuerte, que tiene uno o dos cuernos en la nariz. Vive en África y en Asia.

Río - *sustantivo*

Un río es una corriente continua de agua.

Roca - *sustantivo*

Una roca es un mineral.

Rodilla - *sustantivo*

La rodilla es la parte de nuestro cuerpo por donde se dobla la pierna.

Rojo - *adjetivo*

El rojo es un color. Es el color de la sangre.

131

R

ROMPER

Romper - *verbo*

Romper es hacer dos o más partes de una cosa entera. *Romper* es también desgastar algo. Se me *rompieron* los zapatos.

Ropa - *sustantivo*

Ropa son las prendas de tela que sirven para vestir.

Rosa - *sustantivo y adjetivo*

Una rosa es una flor muy bonita, que huele muy bien y puede ser de muchos colores. El *rosa* es un color mezcla de rojo y blanco.

Rotulador - *sustantivo*

Un rotulador es un bolígrafo que tiene una tinta especial y que sirve para escribir, dibujar, pintar, etc.

Rubio - *adjetivo*

De color parecido al oro.

Rueda - *sustantivo*

Una rueda es una pieza redonda que gira. Un coche anda sobre cuatro *ruedas*.

Ruido - *sustantivo*

El ruido es un sonido fuerte que molesta. No podía estudiar porque había mucho *ruido*.

Ruina - *sustantivo*

Una ruina es una cosa que está destruida.

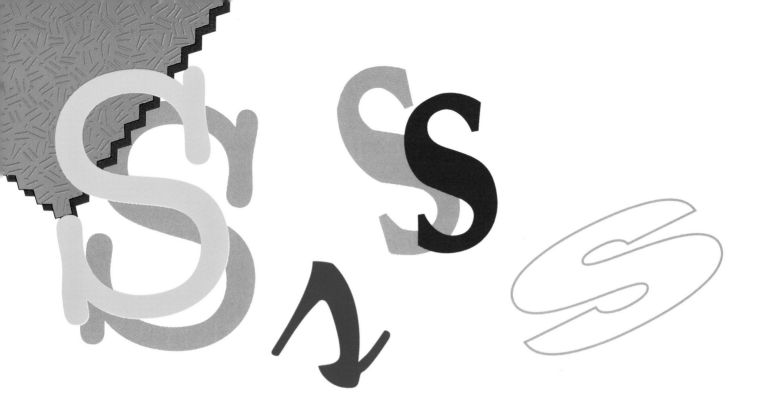

Sábado - *sustantivo*

El sábado es el día de la semana que va antes del domingo.

Sábana - *sustantivo*

Las sábanas son unas piezas de tela
que se ponen en la cama.

Saber - *verbo*

Saber es conocer algo. Ella *sabía* que era mi cumpleaños.
Saber es también tener sabor a algo. Este caramelo *sabe* a
fresa.

Sacacorchos - *sustantivo*

Es un instrumento que sirve para sacar   los tapones
de corcho de las botellas.

Sacar - *verbo*

Sacar es poner algo fuera de donde estaba. *Sacó* toda la
ropa del armario para limpiarlo. Sacar es también conseguir algo. *Sacó* un diez en el examen.

SAL

Sal - *sustantivo*
La sal se utiliza para dar sabor a las comidas.

Salado - *adjetivo*
Un alimento está salado cuando tiene mucha sal. Salado es lo contrario de dulce.

Salir - *verbo*
Salir es pasar de dentro a fuera.

Saltar - *verbo*
Saltar es levantarse del suelo dando un impulso con las piernas.

Sandalia - *sustantivo*
La sandalia es un zapato abierto que se ata al pie con unas cintas de cuero.

Sandía - *sustantivo*
La sandía es una fruta de color rosado por dentro y con muchas pepitas negras.

Sangre - *sustantivo*
La sangre es un líquido rojo que circula por nuestro cuerpo. Sin ella no podríamos vivir.

Sano - *adjetivo*
Se está sano cuando no se tiene ninguna enfermedad.

Sapo - *sustantivo*
Un sapo es un animal parecido a la rana, pero más grande y con la piel llena de verrugas.

Sardina - *sustantivo*

La sardina es un pez de mar de cuerpo plateado.

Sartén - *sustantivo*

Una sartén es un recipiente que se usa para freír alimentos

Secar - *verbo*

Secar es quitar el agua de una cosa.
La ropa se *secó* pronto porque calentaba
mucho el sol.

Sed - *sustantivo*

Es la necesidad de beber.

Seis - *adjetivo*

El seis es un número.
Va antes del siete y después del cinco.

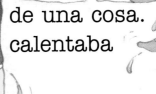

Sello - *sustantivo*

Un sello es un trozo pequeño de papel con dibujo, que se
pone en las cartas para enviarlas por correo.

Selva - *sustantivo*

La selva es un bosque muy grande en el que viven muchas
clases de animales salvajes.

S

SEMÁFORO

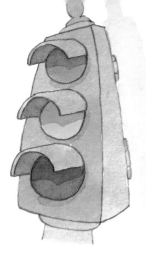

Semáforo - *sustantivo*

Un semáforo es un poste con luces que hay en las calles para señalar cuándo se puede pasar. Si está verde podemos cruzar la calle, si está rojo no.

Semana - *sustantivo*

Una semana tiene siete días, y un año tiene 52 *semanas*.

Sembrar - *verbo*

Sembrar es poner las semillas en la tierra.

Semilla - *sustantivo*

La semilla es una parte del fruto de una planta. Las *semillas* se pueden volver a enterrar para que crezcan nuevas plantas.

Sentarse - *verbo*

Sentarse es colocarse en un asiento.

Sentir - *verbo*

Sentir es notar algo dentro de uno mismo. Se puede *sentir* alegría, pena, dolor, hambre, sed, etc.

Señal - *sustantivo*

Una señal es una marca que sirve para indicar algo.

Septiembre - *sustantivo*

Septiembre es el noveno mes del año. Va después de agosto y antes de octubre.

Serpiente - *sustantivo*

Una serpiente es un animal de forma alargada como una manguera. Algunas son venenosas.

Seta - *sustantivo*

Una seta es una planta pequeña con forma de paraguas.

Sierra - *sustantivo*

Una sierra es una herramienta que sirve para cortar madera y otros materiales. También se llama *sierra* a un conjunto de montañas.

Siete - *adjetivo*

El siete es el número que sigue al seis y va delante del ocho.

Siglo - *sustantivo*

Un siglo son cien años.

Silbar - *verbo*

Silbar es soltar aire por entre los labios para producir un sonido especial.

Silbato - *sustantivo*

Un silbato es un instrumento pequeño para silbar. El árbitro usa el *silbato* para pitar el final del partido.

Silla - *sustantivo*

Una silla es un asiento para una persona. Las *sillas* tienen cuatro patas y respaldo.

Sobre - *adverbio y sustantivo*

Sobre indica que una cosa está encima de otra. El vaso está *sobre* la mesa. Un *sobre* es un papel doblado y pegado que sirve para meter una carta.

SOFÁ

Sofá - *sustantivo*
Un sofá es un asiento grande para dos o más personas.

Sol - *sustantivo*
El Sol es una estrella, la mayor de las que conocemos y la que despide más luz y calor.

Solo - *adjetivo*
Solo quiere decir que no tiene compañía.

Sombra - *sustantivo*
Mancha oscura que reflejan las personas o las cosas cuando les da la luz.

Sombrero - *sustantivo*
Un sombrero es una prenda que se pone en la cabeza.

Sombrilla - *sustantivo*
Una sombrilla es una especie de paraguas grande para protegerse del sol.

Sonido - *sustantivo*
Sonido es lo que escuchamos por el oído. La voz humana es un *sonido*.

Sonrisa - *sustantivo*
Una sonrisa es un gesto de alegría.

Sopa - *sustantivo*
Alimento líquido que se toma con cuchara.

Soplar - *verbo*
Soplar es echar aire por la boca.

Sordo - *adjetivo*
Sordo es una persona que no oye.

Sortija - *sustantivo*
Una sortija es un anillo.

Subir - *verbo*
Subir es pasar de un sitio bajo a otro más alto.

Submarino - *sustantivo*
Un submarino es un barco que puede ir por debajo del agua.

Sucio - *adjetivo*
Que tiene manchas.
Tenía *sucio* el vestido
porque se había caído en el barro.

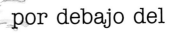

Suela - *sustantivo*
La suela es la parte del zapato con la que se pisa.

Suelo - *sustantivo*
El suelo es la superficie que se pisa.

Suma - *sustantivo*
Hacer una suma es añadir
una cantidad a otra.
Se dice 1 más 5 es igual a 6.

Supermercado - *sustantivo*
Un supermercado es una tienda muy
grande donde se vende
toda clase de alimentos.

SUPRIMIR

Suprimir - *verbo*
Suprimir es eliminar una cosa.

Sur - *sustantivo*
El Sur es uno de los cuatro puntos cardinales. Si estamos cara al Norte, el *Sur* está a nuestra espalda.

Suspender - *verbo*
Suspender es dejar de hacer algo durante cierto tiempo. *Suspendieron* el partido de fútbol por culpa de la lluvia.

Susto - *sustantivo*
Un susto es una desagradable sorpresa que te hace sentir miedo.

T t t

Tabla - *sustantivo*
Una tabla es un trozo largo de madera.

Taburete - *sustantivo*
Un taburete es una silla sin respaldo.

Tachar - *verbo*
Tachar es poner una raya encima de una palabra, para indicar que no sirve.

Tambor - *sustantivo*
Es un instrumento musical cubierto de piel que suena al golpearlo.

Tapadera - *sustantivo*
Pieza plana con la que se cierra un recipiente.

Tapar - *verbo*

Tapar es poner una cosa encima de otra para cubrirla.

Tapia - *sustantivo*

Una tapia es un muro pequeño que rodea un sitio.

Tarde - *sustantivo*

La tarde es el tiempo que va desde la hora de comer hasta el anochecer.

Tarro - *sustantivo*

Un tarro es un frasco ancho. Compraron dos *tarros* de mermelada.

Taxi - *sustantivo*

Si necesitas ir de un sitio a otro y no tienes coche, puedes llamar a un *taxi* para que te lleve.

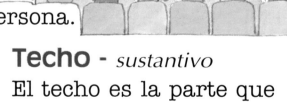

Taza - *sustantivo*

Una taza es un vaso pequeño con asa, que se utiliza para tomar alimentos líquidos.

Teatro - *sustantivo*

Es el lugar en el que los actores representan para el público obras de teatro escritas por otra persona.

Techo - *sustantivo*

El techo es la parte que cubre una habitación.

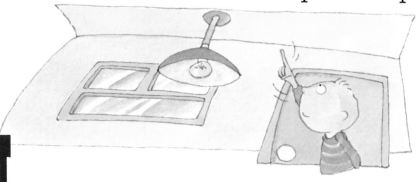

Tejado - *sustantivo*

Es la superficie que cubre los edificios. En el *tejado* suelen estar las chimeneas.

Tela - *sustantivo*

La tela se usa para hacer vestidos y está hecha de muchos hilos.

Teléfono - *sustantivo*

Un teléfono es un aparato que sirve para hablar con una persona a larga distancia.

Telescopio - *sustantivo*

Un telescopio es un tubo grande con cristales que te permite mirar las estrellas y verlas como si estuvieran cerca de ti.

Televisión - *sustantivo*

La televisión es un aparato en el que podemos ver películas, concursos, etc. Las imágenes que nosotros vemos se envían desde muy lejos.

Temblar - *verbo*

Temblar es mover el cuerpo sin querer. Estaba *temblando* porque tenía mucho miedo.

Tenedor - *sustantivo*

Un tenedor es un utensilio que sirve para pinchar los alimentos y llevarlos a la boca.

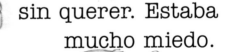

143

TENER

Tener - *verbo*

Tener significa ser el dueño de una cosa. Mi hermano *tiene* muchos juguetes. Tener es también sentir. Se bebió dos vasos de agua porque *tenía* mucha sed.

Tenis - *sustantivo*

El tenis es un deporte que consiste en golpear una pelota con una raqueta y conseguir pasarla al otro campo.

Terminar - *verbo*

Terminar es poner fin a una cosa.

Terraza - *sustantivo*

Una terraza es el espacio de una casa que está al descubierto.

Terremoto - *sustantivo*

En un terremoto la tierra se mueve y se abren grandes grietas. Son muy peligrosos y traen grandes desgracias.

Tesoro - *sustantivo*

Un tesoro es un conjunto de oro y joyas escondido en un lugar que nadie conoce. Todos los piratas tienen un *tesoro*.

Tiburón - *sustantivo*

El tiburón es un animal que vive en el mar. Es grande y muy peligroso.

Tienda - *sustantivo*
Una tienda es un sitio donde se venden cosas. Fue a la *tienda* a comprar unos zapatos. Una tienda es también una casa pequeña de tela que se lleva de un sitio a otro; se llama *tienda* de campaña.

Tierra - *sustantivo*
La Tierra es el planeta en el que vivimos. También llamamos *tierra* al suelo en el que crecen las plantas.

Tigre - *sustantivo*
El tigre es un animal de la selva. Tiene el cuerpo a rayas negras y amarilla, y es muy feroz.

Tijeras - *sustantivo*
Las tijeras son un instrumento que se utiliza para cortar.

Timbre - *sustantivo*
Un timbre es un aparato que sirve para llamar a una puerta o para avisar de algo.

Tinta - *sustantivo*
La tinta es un líquido que se utiliza para escribir. Dentro de tu bolígrafo y rotulador hay *tinta.*

Tintero - *sustantivo*
Un tintero es un frasco que contiene tinta.

Tío/a - *sustantivo*
Tu tío es el hermano de tu papá o de tu mamá. La *tía* Teresa y el *tío* Guillermo vendrán a visitarnos.

TIOVIVO

Tiovivo - *sustantivo*

Un tiovivo son los caballitos que hay en las ferias, que suben y bajan girando en una plataforma.

Tiza - *sustantivo*

La tiza es una barra pequeña que se usa para escribir en la pizarra. Puede ser blanca o de colores.

Toalla - *sustantivo*

La toalla es el paño que usamos para secarnos después de habernos lavado.

Tobogán - *sustantivo*

En los parques hay toboganes por los que puedes tirarte resbalando.

Tocar - *verbo*

Tocar es rozar una cosa con nuestras manos o nuestro cuerpo.

Tomate - *sustantivo*

El tomate es un fruto de color rojo que alimenta mucho.

Tormenta - *sustantivo*
Cuando llueve y en el cielo aparecen luces y suena como si se fuera a romper, hay tormenta.

Toro - *sustantivo*
El toro es un animal grande y muy 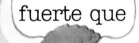 cuernos en la cabeza.

Torre - *sustantivo*
Una torre es un edificio de gran altura. Los campanarios de las iglesias son *torres.*

Torta - *sustantivo*
Una torta es un pan dulce.

Tortuga - *sustantivo*
La tortuga es un animal muy lento que tiene su cuerpo cubierto con un caparazón.

Trabajar - *verbo*
Trabajar es usar el tiempo para hacer algo.

Tractor - *sustantivo*
El tractor es un vehículo para trabajar en el campo.

Traje - *sustantivo*

Vestido completo de una persona compuesto por chaqueta y pantalón o falda.

Transparente - *adjetivo*

Un objeto es transparente si se puede ver lo que hay detrás de él. El autobús tiene ventanas con cristales *transparentes* para poder ver el paisaje.

Tren - *sustantivo*

Un tren es un vehículo que se compone de varios vagones unidos entre sí, de los que tira una locomotora.
El *tren* circula por las vías.

Trenza - *sustantivo*

Peinado que se hace cruzando tres mechones de pelo.

Tres - *adjetivo*

El tres es un número. Va después del dos y antes del cuatro.

Triciclo - *sustantivo*

Un triciclo es un vehículo sin motor que tiene tres ruedas.

Trigo - *sustantivo*

El trigo es una planta cuyos granos se muelen para hacer harina y fabricar pan.

Triste - *adjetivo*

Una persona está triste cuando sufre. El final de la película era tan *triste* que daba mucha pena.

Trompeta - *sustantivo*

La trompeta es un instrumento de música que se toca soplando.

Tronco - *sustantivo*

El tronco es la parte de un árbol que va desde el suelo hasta donde salen las ramas.

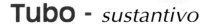

Tubo - *sustantivo*

Un tubo es una pieza redonda, alargada y hueca.

Túnel - *sustantivo*

Un túnel es un agujero grande hecho bajo tierra para que pasen los coches o el tren.

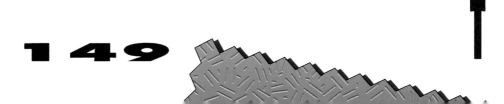

Ú u U u

Último - *adjetivo*

Es el último el que no tiene a nadie detrás.
Mi amigo siempre es el *último* en llegar a la meta.

Unir - *verbo*

Unir es juntar, mezclar, pegar, etc., dos o más cosas. Tuvo que *unir* dos trozos de cuerda para atar la caja.

Universal - *adjetivo*

Una cosa es universal cuando afecta a todo el mundo o existe en todas partes.

Uno - *adjetivo*

El uno es un número. Con el *uno* se representa la unidad.

Uña - *sustantivo*

La uña es la parte dura que cubre la punta de los dedos por arriba.

Usar - *verbo*

Usar es hacer que una cosa sirva para algo.
Usamos ese cesto para llevar la fruta.

Usted - *pronombre personal*

Es la forma de tratar a alguien
que no conocemos. También debemos
usarlo por educación. ¿Podría decirme *usted* qué hora es?

Útil - *adjetivo*

Lo que sirve para un fin es útil. Los armarios son *útiles*
para guardar la ropa.

Uva - *sustantivo*

La uva es el fruto que da la
vid. Con las *uvas* se hace vino.

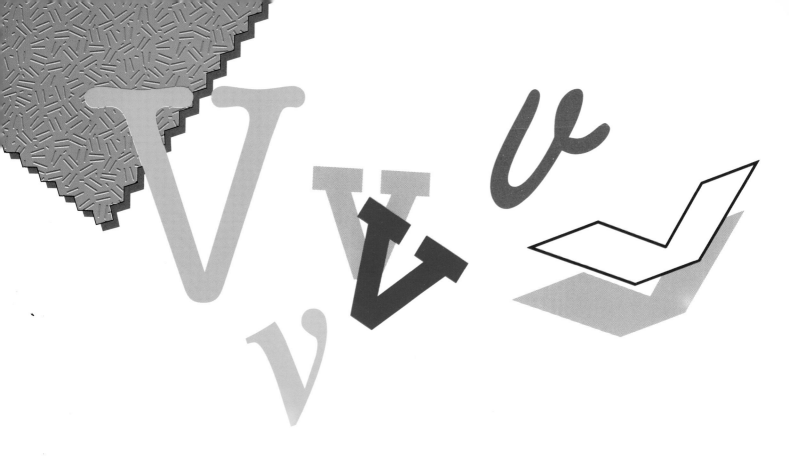

Vaca - *sustantivo*

La vaca es un animal doméstico que nos da leche y carne.

Vacaciones - *sustantivo*

Las vacaciones son el tiempo en
que no tenemos que ir a la escuela.

Vacío - *adjetivo*

Algo está vacío si no tiene nada dentro.
Mete esos libros en la caja que está *vacía*.

Valiente - *adjetivo*

Una persona es valiente cuando se atreve a hacer
cosas difíciles.

Vapor - *sustantivo*

Vapor es el humo en que se convierte
el agua al calentarla mucho.

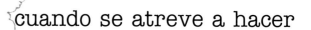

V

Vaquero - *sustantivo*

Un vaquero es la persona que cuida rebaños de vacas.

Vaso - *sustantivo*

Un vaso es un recipiente pequeño para beber líquidos.

Vegetal - *sustantivo*

Un vegetal es un ser vivo que no tiene movimiento ni sentimientos. El tomate es un *vegetal.*

Vela - *sustantivo*

Una vela es un trozo de tela que llevan algunos barcos. Cuando el viento empuja las *velas*, el barco se mueve. Una *vela* es también un trozo de cera con una mecha que sirve para dar luz.

Velero - *sustantivo*

Un velero es un barco con velas.

Vender - *verbo*

Vender es dar una cosa a cambio de dinero.

Ventana - *sustantivo*

Una ventana es un hueco en la pared de la casa por el que entra luz y ventilación.

VERANO

Verano - *sustantivo*

El verano es la estación del año que va antes del otoño.

Ver - *verbo*

Ver es descubrir las cosas con los ojos.

Verdad - *sustantivo*

Decir la verdad es decir las cosas como son, sin ocultar nada.

Verde - *adjetivo*

El verde es un color. Es el color de las plantas.

Verja - *sustantivo*

Una verja es una tapia hecha de barrotes de hierro. Había una *verja* alrededor del jardín, para que nadie pudiera pasar.

Vestido - *sustantivo*

Conjunto de prendas de vestir. También se llama *vestido* a la prenda de una sola pieza que usan las mujeres.

Vía - *sustantivo*

El camino de hierro por el que circula el tren se llama *vía*.

Viaje - *sustantivo*

Hacer un viaje es ir de un sitio a otro.

Vid - *sustantivo*

La vid es la planta que produce los racimos de uvas.

V

Vídeo - *sustantivo*

Un vídeo es un aparato que sirve para grabar imágenes y sonidos, y después volver a verlos en la televisión.

Viejo - *adjetivo*

Una cosa es vieja cuando tiene muchos años o está muy desgastada porque se ha usado mucho.

Viento - *sustantivo*

Viento es aire en movimiento.

Viernes - *sustantivo*

El viernes es el día de la semana que va antes del sábado.

Vino - *sustantivo*

El vino es la bebida alcohólica que se obtiene de las uvas.

Violeta - *sustantivo y adjetivo*

La violeta es una planta de olor suave, cuyas flores dan nombre a un color.

Violín - *sustantivo*

El violín es un instrumento de música que tiene cuerdas y se toca con un arco. Su sonido es muy suave.

Visitar - *verbo*

Visitar es ir a ver a alguien a un sitio. Fuimos a *visitar* a Juan porque estaba enfermo.

V

VOCAL

Vocal - *sustantivo*
Las vocales de nuestro abecedario son «a», «e», «i», «o», «u».

Volante - *sustantivo*
El volante es una pieza redonda que se mueve con la mano para conducir los automóviles.

Volar - *verbo*
Volar es ir por el aire. Pueden *volar* los pájaros y los aviones.

Volcán - *sustantivo*
Un volcán es una abertura en la tierra por la que puede salir fuego y rocas.

Volver - *verbo*
Volver es ir a un sitio de nuevo.

Voz - *sustantivo*
La voz es el sonido que hacemos las personas al hablar y gracias a la cual nos podemos comunicar.

Wáter - *sustantivo*

Es otra forma de llamar
al cuarto de baño.

Waterpolo - *sustantivo*

Es un deporte que se juega en el agua con una
pelota.

Wind surfing - *sustantivo*

Es un deporte que se hace en
el agua sobre una tabla.

Xilófono - *sustantivo*

El xilófono es un instrumento de
música, con láminas de metal
o madera, que se toca con palillos.

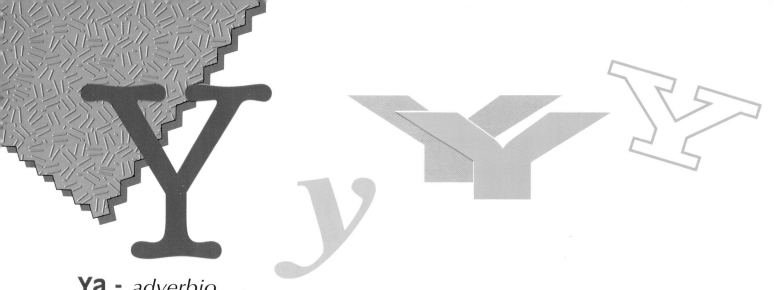

Ya - *adverbio*

Ya significa antes o ahora. Esta película *ya* la hemos visto. ¿Ha terminado *ya* la película?

Yate - *sustantivo*

Un yate es un barco en el que puedes pasar unos días de diversión en el mar.

Yegua - *sustantivo*

La yegua es la hembra del caballo.

Yema - *sustantivo*

Las yemas son los primeros brotes de las flores y los frutos. A la parte amarilla del huevo se le llama también *yema*.

Yogur - *sustantivo*

El yogur es un alimento que se hace con leche cuajada.

Yoyó - *sustantivo*

Es un juguete formado por dos tapas redondas unidas por una pieza a la que se enrolla un hilo.

Yugo - *sustantivo*

El yugo es un instrumento de madera que sirve para unir a los bueyes que tiran de un carro.

Zanco - *sustantivo*
Los zancos son unos palos largos sobre los que puedes andar y parecer mucho más alto de lo normal.

Zapatero - *sustantivo*
El zapatero es la persona que hace o arregla zapatos.

Zapato - *sustantivo*
Los zapatos cubren los pies. Los usamos para poder andar sin hacernos daño.

Zoo - *sustantivo*
Un zoo es un lugar donde viven animales de muchas clases.

Zorro - *sustantivo*
El zorro es un animal muy listo que vive en los montes.

Zumo - *sustantivo*
El zumo es el líquido que se saca de las frutas y vegetales. En algunos países también se le llama jugo.

Z